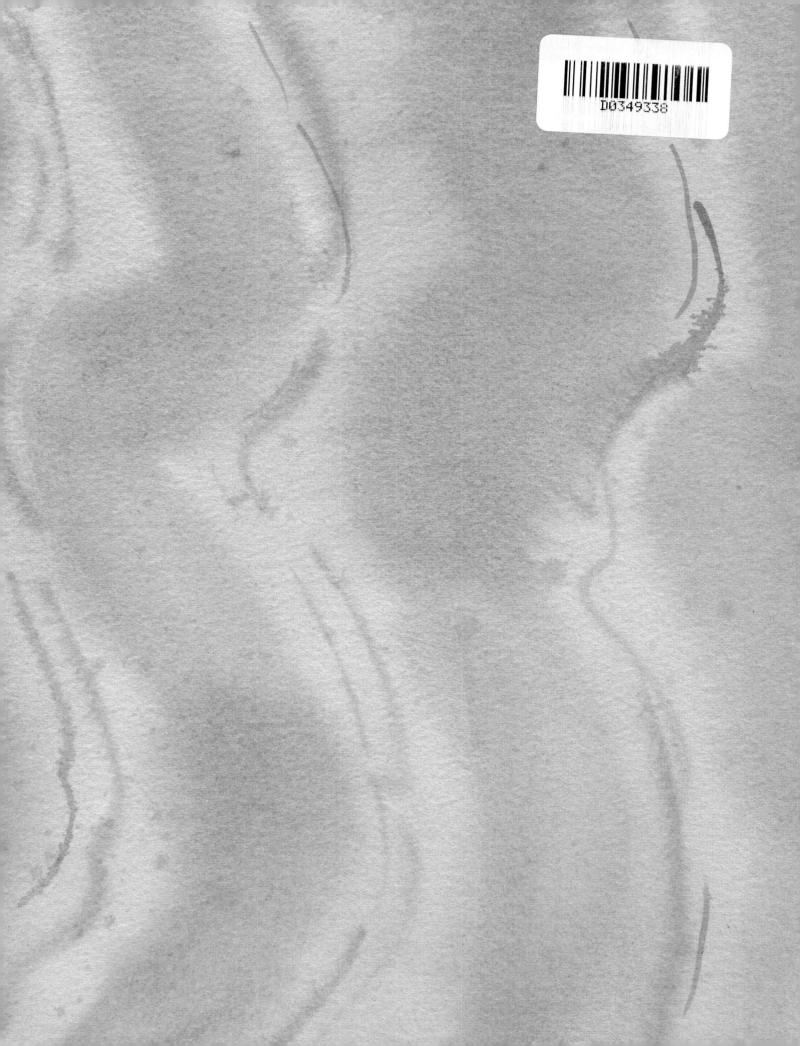

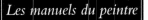

INTRODUCTION
À L'ACRYLIQUE

Les manuels du peintre

INTRODUCTION
À L'ACRYLIQUE

RAY SMITH
en collaboration avec la
ROYAL ACADEMY OF ARTS

dessain et tolra

A DORLING KINDERSLEY BOOK

Edition originale

© 1993, Dorling Kindersley Limited, Londres
Titre original en anglais : An Introduction to Acrylics
ISBN 0 7513 0053 5

Edition française

Traduction : Dominique Helies, Isabelle Taudière
Révision et préparation : Marie-Thérèse Lestelle
Coordination technique : Yann Mahé
Edition : Isabelle Barbin
Directrice éditoriale : Catherine Franck-Dandres
Composition : Empreintes

Illustration de couverture : Jane Gifford,
Marionnette birmane ; 1989

© 1993, Dessain et Tolra, Paris
Dépôt légal : mars 1994
Imprimé en Italie par Graphicom
ISBN 2-249-27950-0

TABLE DES MATIÈRES

LE MATÉRIEL

LES TECHNIQUES

L'ACRYLIQUE

LA PEINTURE ACRYLIQUE est un produit assez récent. Contrairement aux huiles, que les peintres connaissent depuis des siècles, les acryliques ne sont apparues sur le marché que dans les années 1950, offrant ainsi aux artistes un nouveau matériau très apprécié pour sa grande polyvalence. Comme en témoignent les illustrations de ces pages, elles se prêtent en effet à une infinité de techniques. Selon la proportion d'eau qui leur est ajoutée, elles permettent de travailler tout en transparence pour obtenir des effets aquarellés ou, au contraire, de jouer sur leur opacité pour poser de larges aplats colorés ou des touches épaisses, marquées du relief du pinceau. L'artiste peut exploiter les techniques opaques pour construire rapidement les tableaux les plus originaux : le film acrylique séchant très vite, chaque couleur peut être presque aussitôt recouverte et, si l'on souhaite rattraper une touche intempestive, une simple application suffira à masquer les couches sous-jacentes. L'association de techniques opaques et transparentes dans un même tableau, mariant les frottis et les glacis aux empâtements si caractéristiques des huiles, est du meilleur effet, mais les acryliques constituent aussi un matériau de choix pour tenter de nouvelles approches, défiant les règles conventionnelles.

Sous de fins lavis d'acrylique, le grain de la surface transparaît, rehaussant le caractère de l'image

La peinture acrylique opaque accentue la vivacité et l'intensité des couleurs

Poser des lavis transparents

Très diluée, l'acrylique s'étale en légers lavis humides et rappelle à beaucoup d'égards les qualités de l'aquarelle. Elle offre cependant un avantage par rapport à celle-ci : de prise très rapide, elle devient indélébile et indétrempable après séchage et peut donc être recouverte presque instantanément sans subir la moindre altération. Le peintre tire parti de cette propriété en superposant une

Pour obtenir un effet aquarellé délicat, les couleurs ont été superposées en légers lavis transparents

infinité de lavis afin de faire vibrer les couleurs. En revanche, alors qu'à l'aquarelle, le lavis encore humide se prête à toutes sortes de retouches, le film d'acrylique sèche très vite et admet difficilement les manipulations. Ainsi, si vous souhaitez modifier une couleur encore humide, il vous faudra prendre l'habitude de travailler avec rapidité.

En associant les lavis transparents aux touches opaques, le tableau acquiert une remarquable profondeur et prend du relief

Les avantages de l'acrylique

L'un des principaux atouts de l'acrylique tient à son diluant : l'eau, qui permet d'obtenir facilement des mélanges fluides, et qui ne présente aucun des risques de toxicité propres aux solvants des peintures à l'huile (white spirit et essence de térébenthine). Par ailleurs, l'émulsion polymère acrylique qui fixe le pigment forme une pellicule très stable. La peinture acrylique n'est donc exposée à aucune des réactions chimiques qui menacent la tenue dans le temps des matériaux traditionnels.

La consistance de la pâte acrylique se prête bien aux empâtements épais et vigoureux

Protéger la couleur

Une fois sec, et à température ambiante, le film pictural demeure assez souple, et c'est là son seul inconvénient. L'acrylique a en effet tendance à attirer les poussières et si celles-ci s'incrustent dans la pellicule, les couleurs peuvent perdre de leur éclat. Cependant, vous ne rencontrerez ce problème que si, en préparant vous-même vos émulsions acryliques, vous ne prévoyez pas assez de pigment, ou bien si vous mélangez trop peu de pigment à un médium acrylique. Vous prendrez beaucoup moins de risques en optant pour les peintures du commerce prêtes à l'emploi (voir p. 10-11).

Matériau des approches expérimentales, l'acrylique permet toutes les fantaisies et laisse libre cours à la spontanéité de l'artiste

UN PEU D'HISTOIRE

L'EXTRAORDINAIRE DIVERSITÉ DES STYLES auxquels a donné naissance l'acrylique suffit à témoigner de la richesse de ce matériau. Mise au point et expérimentée dans les années 1950 aux États-Unis, l'acrylique a très vite fait l'unanimité parmi les peintres qui l'apprécient surtout pour sa grande polyvalence. Tout aussi adaptée aux œuvres abstraites et expressives de Morris Louis (1912-1962) qu'aux recherches audacieuses du Pop'Art des années 1960, l'acrylique a également trouvé sa place dans les premiers tableaux figuratifs de David Hockney (né en 1937) comme dans les scènes plus intimistes de Paula Rego (née en 1935).

LES PREMIÈRES RÉSINES ACRYLIQUES, découvertes en Allemagne au début du siècle, ont été développées aux États-Unis vers la fin des années 1920 par le laboratoire Röhm et Haas. Les recherches sur les solvants organiques destinés à dissoudre les résines devaient aboutir à l'élaboration des toutes premières émulsions acryliques à base d'huile.

Un matériau nouveau

Vers la fin des années 1940, ces émulsions acryliques sont commercialisées aux États-Unis, où certains artistes comme Helen Frankenthaler (née en 1928) et Morris Louis commencent à les employer. Il faut cependant attendre 1955 pour voir apparaître les acryliques modernes, à base d'eau. L'Américain Frank Stella (né en 1936) s'est intéressé très tôt à ces peintures, qui offraient un contact privilégié entre la toile et le pinceau de l'artiste. Après avoir exploré les ressources du monochrome, il s'est attaché à travailler la force évocatrice des couleurs.

Puis, dans les années 1960, la Grande-Bretagne adopte à son tour les acryliques, dont David Hockney, Mark Lancaster (né en 1938), Richard Smith (né en 1931), Bridget Riley (née en 1931) et Leonard Rosoman (né en 1912 ; voir p. 17) révèlent toute l'ampleur.

L'acrylique et le Pop'Art

Dans les années 1960, Roy Lichtenstein (né en 1923) et Andy Warhol (1928-1987) lancent le mouvement américain du Pop'Art, qui cherchait à intégrer l'art à la culture populaire. L'acrylique se prêtait plus que tout autre matériau à ces images nettes et incisives qui traduisaient si bien la réalité du monde moderne.

Morris Louis, *N° 182*, 1961, *208 x 84 cm,* The Phillips Collection, Washington. *De 1954 jusqu'à sa mort, en 1962, ce pionnier de l'acrylique s'est forgé un style personnel. Influencé par la technique de Jackson Pollock (1912-1956) et par les méthodes de Frankenthaler, Louis utilisait une acrylique très fluide qu'il versait sur un support de coton brut. Il laissait alors couler la peinture le long de la toile qui se couvrait de minces voiles de couleur.*

David Hockney, *Homme sous la douche à Beverley Hills*, 1964, *167 x 167 cm,* The Tate Gallery, Londres.
Hockney, arrivé en Californie au début des années 1960, se consacre à l'acrylique. Pendant une dizaine d'années, il joue dans ses tableaux sur le contraste entre les grands aplats de couleur opaque et la minutie du détail. Les couleurs vives, tranchant sur les carreaux d'une absolue géométrie, offrent ici un décor très sobre à cette interprétation moderne du nu.

Andy Warhol, *Paysage à colorier*, 1962,
178 x 137 cm, Museum Ludwig, Cologne.
Cet effet lumineux et incisif est tout à fait caractéristique des adeptes du Pop-Art qui trouvèrent dans l'acrylique le matériau idéal. En reprenant la méthode des chiffres, chère aux livres de coloriage pour enfants, Warhol s'interroge sur les décisions que prend l'artiste au fur et à mesure qu'il crée son tableau.

Bridget Riley, *Cataractes III*, 1967, *224 x 221 cm.*
Riley s'est imposée dans les années 1960 par ses œuvres « Op Art », étudiant les effets d'optique pouvant apparaître sur une surface. Elle exploite la surface plane de la toile pour créer des images fluides et frémissantes de vie. La vague bleue qui traverse ce tableau se brise, donnant naissance à une bande rouge de plus en plus large, qui confère au tableau toute sa dynamique.

La peinture hyperréaliste

À partir de 1960 et jusque dans les années 1970, les Américains Richard Estes (né en 1936) et Chuck Close (né en 1940 ; voir p. 60) ainsi que l'artiste britannique Malcom Morley (né en 1931), choisissent l'acrylique pour construire des tableaux inspirés de clichés photographiques. Les immenses portraits de Close et les scènes de rues de Richard Estes ressemblent à s'y méprendre à des photographies, mais le spectateur se laisse séduire par ces peintures travaillées avec une extrême minutie.
À la fin des années 1970 et au début des années 1980, on assiste au retour d'un style plus expressif et plus personnel. K. H. Hödicke (né en 1938) traite sur un mode très direct l'histoire allemande de ce siècle. Aux États-Unis, Jim Nutt (né en 1938) explore une vision très intime du monde, cependant que le peintre britannique Alan Charlton (né en 1948) emploie l'acrylique pour rendre les surfaces pures et mates de ses monochromes.

Les mouvements modernes

Les années 1990 signent une évolution vers un style plus figuratif, abordant des thèmes intimes, publics ou artistiques, comme en témoignent les œuvres récentes de Paula Rego. Les peintres reviennent volontiers à l'étude de formes abstraites, entamée dans les années 1950 par Helen Frankenthaler, qui d'ailleurs poursuit aujourd'hui ses recherches d'avant-garde.

Paula Rego, *Le Bal*, 1988,
213 x 274 cm, The Tate Gallery, Londres.
Paula Rego aborde ici le thème des rêves et des craintes enfantines. Cette « danse de la vie » est une réminiscence de son enfance au Portugal, évoquant la maison familiale ouvrant sur l'Atlantique, non loin de Lisbonne. Ce clair de lune bleu et froid enveloppe la scène d'une atmosphère inquiétante.

LES PEINTURES ACRYLIQUES

RUIT DES PROGRÈS DE LA CHIMIE MODERNE, les peintures acryliques, dont la formulation ne cesse d'évoluer pour satisfaire les exigences toujours plus grandes des peintres, constituent une véritable révolution pour le monde artistique. Solubles dans l'eau, elles ne présentent aucun des inconvénients des peintures à l'huile diluées dans des solvants volatils, et se prêtent à toutes sortes de techniques. Utilisées en pâte épaisse, elles permettent de reproduire la plupart des effets caractéristiques de l'huile, alors qu'un jus d'acrylique rappelle la légèreté de l'aquarelle. Cependant, ces peintures très versatiles ont aussi leurs caractères propres et leur consistance peut varier selon les fabricants : certaines sont fluides et liquides, d'autres sont plus visqueuses.

Conditionnement des acryliques : *en tubes, en pots, en flacons compte-gouttes et en bouteilles, pour les applications à l'aérographe.*

ALORS QUE DANS LES PEINTURES à l'huile, le pigment est lié par une huile siccative, dans les acryliques, il est fixé dans une émulsion acrylique polymère ou copolymère. Les polymères acryliques sont des résines synthétiques obtenues à partir de molécules appelées monomères. Ces monomères sont polymérisés pour produire une résine présentant d'excellentes propriétés élastiques. Cette résine est ensuite mise en émulsion pour former des particules de polymère en suspension dans l'eau. Les émulsions acryliques sont généralement de type copolymère, c'est-à-dire qu'elles comportent plusieurs polymères, assurant une pellicule homogène et relativement dure. Les peintures acryliques sèchent par évaporation, et les particules en suspension se soudent pour former un film chimiquement inerte et imperméable.

Le broyage des pigments dans une huile siccative est une opération assez simple, mais il est bien plus délicat de mélanger des pigments à une émulsion acrylique pour obtenir un produit de qualité. Les peintres préfèrent souvent faire appel aux couleurs acryliques prêtes à l'emploi, car leur formulation prévoit un dosage précis d'adjuvants qui

La pâte acrylique : une colle surprenante !

Technique opaque à l'acrylique
Toutes les acryliques se prêtent aux techniques opaques, mais la pâte doit être assez épaisse (utilisée telle quelle, ou à peine diluée), ou coupée de blanc, surtout lorsque l'on travaille sur fond coloré.

Peinture opaque

Une fois sèche, la couleur est plus soutenue.

Peinture séchée extrudée

Propriétés plastiques
En séchant, l'acrylique acquiert la consistance souple et résistante des matières plastiques, ce qui lui confère toute son originalité, car elle peut être extrudée, malaxée, voire sculptée en relief.

Collages à l'acrylique
L'acrylique étant en fait un type de colle à prise assez rapide, appliquée en pâte épaisse, elle rend bien pour les techniques de collage de matériaux légers comme le carton ou le sable.

donne à la peinture corps, stabilité et résistance au vieillissement et au jaunissement.

Les peintures PVA

Dans certaines écoles, les enseignants préparent des peintures très proches des acryliques en ajoutant un autre type de résine synthétique, le PVA (*polyacétate de vinyle*) à un mélange d'eau et de pigments en poudre. On trouve dans le commerce des peintures vinyliques de ce type, moins chères que les acryliques mais, bien que certains fabricants proposent des produits de très bonne qualité, la pellicule a souvent tendance à s'écailler avec le temps.

Médiums acryliques et médium retardateur

Selon la technique envisagée, le peintre ajoute à ses peintures différents types de médiums : pour les glacis, le médium de transparence fluidifie l'acrylique, alors que le médium d'empâtement l'épaissit.

Les médiums de matité ou de brillance modifient le rendu des couleurs. Le médium retardateur, précieux pour les fondus, ralentit le séchage des couleurs et augmente la durée de travail de la pâte.

Acrylique additionnée d'un médium d'empâtement

Peinture additionnée de médium gel, appliquée en empâtement et en voile

Ci-dessus : Acrylique et médium d'empâtement. *Pour obtenir une pâte épaisse, adaptée aux empâtements et aux décorations en relief, mélangez un médium d'empâtement à la peinture. Le plus dense de ces médiums contient de la poudre ponce.*

À gauche : Acrylique et médium gel *Selon la proportion de médium gel ajoutée à la pâte, vous obtiendrez des effets très différents. Pour des empâtements translucides, privilégiez le gel dans le mélange, mais, pour poser un léger voile de glacis transparent, un soupçon de gel suffira.*

Brouillard acrylique à l'aérographe

Peinture très allongée

Jus d'acrylique

Très diluée, l'acrylique s'utilise comme l'aquarelle. En séchant, elle forme une pellicule imperméable, ce qui permet de lui superposer d'autres couleurs sans la modifier. L'acrylique liquide peut s'appliquer à l'aérographe.

CONSERVATION DES MÉLANGES

Ne craignez pas de préparer vos mélanges en quantité suffisante, mais si vous ne les utilisez pas sur le champ, conservez-les dans un bocal hermétique, car l'acrylique sèche très vite au contact de l'air.

CHOIX DES COULEURS

LES PEINTURES ACRYLIQUES étant un produit assez récent, les fabricants ont pu disposer des meilleurs pigments modernes et traditionnels. Le critère de qualité le plus déterminant d'un pigment est sa solidité à la lumière. Parmi les couleurs les plus fixes, citons les violets et les quinacridones, les bleus et verts de phtalocyanine, les jaunes et rouges de cadmium (voir p. 71), le jaune azo, les couleurs de terre – ocres et Sienne – et le blanc de titane. Le nuancier des acryliques comporte aussi des couleurs

métalliques. Il est essentiel de connaître les principes fondamentaux de la couleur, de façon à bien comprendre comment les couleurs réagissent entre elles et parvenir à produire des effets saisissants. Le cercle chromatique présente les trois couleurs primaires, le rouge (magenta), le bleu (cyan) et le jaune, reliées par les couleurs intermédiaires.

LES COULEURS COMPLÉMENTAIRES, qui se font face sur le cercle chromatique, sont les plus contrastées et se complètent deux à deux. La complémentaire d'une primaire correspond au mélange des deux autres primaires. Ainsi, le vert (bleu et jaune) est la complémentaire du rouge, le violet (rouge et bleu) du jaune, et l'orange (rouge et jaune) est celle du bleu.

Rouge quinacridone

Jaune azo

Vert de phtalocyanine

Bleu céruléum

Bleu phtalocyanine

Posez la quantité de peinture dont vous avez besoin, et séparez le blanc.

Palette en papier pelable

Blanc de titane

Ocre jaune

Sienne brûlée

Ombre brûlée

Préparation de la palette
Sur une palette bien préparée, les couleurs sont posées selon l'ordre du cercle chromatique. Cette organisation vous permettra de choisir la dominante de vos mélanges, par exemple d'accentuer la tonalité verte ou orange d'un jaune.

Blanc de titane

Jaune de cadmium

Rouge quinacridone

Bleu phtalocyanine

Cette composition, aussi sobre qu'audacieuse, repose sur quelques couleurs dégradées en une large gamme de valeurs.

Rouge quinacridone et blanc de titane

Les complémentaires sont opposées sur le cercle.

Bleu phtalocyanine et blanc de titane.

Jaune azo

Palette restreinte
Travaillez avec quelques couleurs de base, afin d'exploiter au mieux toutes les ressources des mélanges, en jouant sur le dégradé des valeurs. Le bouquet ci-dessus a été réalisé à partir d'une palette réunissant les trois primaires et du blanc.
Il doit sa vivacité à des mélanges de couleurs crues et saturées, appliquées en technique opaque.

Cercle chromatique opaque
Ce cercle, exécuté à l'aide de peintures opaques, présente les trois primaires et leurs complémentaires, le violet, l'orange et le vert, couleurs secondaires obtenues par mélange des deux autres primaires. Pour opacifier le rouge et le bleu transparents, nous les avons légèrement coupés au blanc. Le mélange de ces couleurs relativement pures permet d'obtenir presque toutes les teintes.

Agencement des couleurs

Sur un tableau, chaque couleur influence l'aspect des couleurs qui lui sont juxtaposées. Si vous fixez pendant un instant une couleur vive, vous remarquerez qu'en détournant le regard, vous percevez sa complémentaire. Cet effet d'optique, appelé « luminance des couleurs », modifie toutes les couleurs que vous regardez par la suite. Ainsi, si vous concentrez votre attention sur une plage de rouge orangé, un jaune vif vous semblera vert, car votre œil aura mémorisé un bleu, couleur rémanente du jaune orangé. Le peintre doit tenir compte de ce phénomène en posant ses couleurs sur la toile.

Rouge et vert vifs

La juxtaposition de complémentaires produit des contrastes éclatants tout en assurant l'équilibre tonal d'une composition. La fleur rouge de cette étude se détache du vert profond de son feuillage.

Des effets subtils

Ici, les complémentaires ont été superposées pour assourdir les couleurs. En effet, un mélange de complémentaires tire sur le gris ou le noir. Des lavis verts passés sur les pétales rouges créent des ombres profondes, cependant que les touches de rouge intensifient la couleur du feuillage.

Couleurs proches et couleurs analogues

Les couleurs proches sont celles qui sont placées côte à côte sur un tableau. Par effet de luminance, deux complémentaires ainsi juxtaposées s'avivent mutuellement. Il convient de chercher un équilibre subtil de la composition : si vous choisissez de donner à votre tableau une dominante bleue, quelques touches d'orange suffiront à mettre le bleu en valeur.

Les couleurs analogues sont celles qui se jouxtent sur le cercle chromatique. Dans une composition, leur association offre une subtile harmonie tonale, comme en témoignent les deux exemples ci-dessous.

Cercle chromatique transparent

Comme le précédent, ce cercle présente les primaires et leurs complémentaires, mais les couleurs ont ici été passées en fins lavis d'acrylique transparente. Sur l'extérieur, les mélanges progressivement dégradés mettent en évidence les couleurs analogues. L'acrylique très diluée permet d'obtenir de nouvelles teintes, non par simple mélange physique sur la palette, mais par superposition de lavis humides sur fond sec.

Rouge et violet

Ici, on a approfondi un rouge froid en lui superposant par endroits un lavis de même couleur. Un lavis violet, couleur analogue, passé sur le rouge, délimite les zones d'ombre.

Bleu et violet

De légers lavis de bleus et violets analogues dégagent ici une harmonie délicate. Un support lumineux, tel un papier blanc de bonne qualité ou un apprêt blanc, rendra l'éclat des lavis.

Orange, jaune et vert

La légèreté de ce freesia provient de l'association des jaunes orangés, marquant les ombres des pétales, et du dégradé de tonalités jaunes qui vont se fondre au vert analogue de la tige.

JOUER SUR LES COULEURS

À FORCE DE TÂTONNEMENTS ET DE PRATIQUE, vous apprendrez à apprécier l'effet des couleurs d'une composition. Observez les tableaux de maîtres, essayez-vous aux mélanges et aux juxtapositions les plus variées, en gardant à l'esprit le résultat recherché. Veillez à ce que la tonalité de vos couleurs s'accorde à l'atmosphère du tableau. Des couleurs primaires, crues et pures, exprimeront la vivacité d'une scène, alors qu'une palette de teintes assourdies traduira un cadre plus intimiste. La « température » des couleurs contribue à créer une ambiance : si le tableau est dominé par des rouges orangés, il dégagera une sensation de chaleur, alors que des bleu-vert conviendront davantage à une scène baignée de lumière froide.

DANS UNE COMPOSITION, il est primordial d'équilibrer les touches de couleur. En les juxtaposant, étudiez leur intensité : si vous posez une grande plage de couleur vive et intense, il vous suffira de la reprendre discrètement sur

Ci-dessus : Modifier l'équilibre des couleurs
Avec ces trois études, le peintre s'est attaché à modifier l'atmosphère d'une même scène. La première nature morte est dominée par des tonalités éteintes et sourdes. Les légumes sont éclairés par la droite d'une lumière naturelle très pâle. Des lavis d'acrylique transparente rendent cette sensation de douceur. Les détails ont été superposés de touches opaques. Une gamme de tonalités assourdies unifie l'ensemble de la scène.

À droite : Aviver une scène
L'artiste a illuminé sa nature morte. Un éclairage artificiel, tombant à la verticale, diffuse une lumière plus crue et plus uniforme. Un rouge de cadmium vif fait ressortir le poivron sur les verts plus doux des poireaux et des poires et les ombres d'outremer clair lavé de blanc. Pour accentuer cette vigueur, le torchon rayé est remplacé par un linge blanc.

une autre partie du tableau, en posant une simple touche sur une autre couleur moins intense. Quel que soit le thème que nous choisissons de peindre, nous percevons toujours un certain équilibre des couleurs.

À gauche : Le tableau achevé
Chacune des tonalités a ici été avivée. Sur la table, un mélange d'ocre jaune et de jaune de cadmium donne les ombres du premier plan, celles de l'arrière-plan étant affirmées à l'ocre jaune coupé de Sienne brûlée. De légers lavis transparents allègent les ombres de l'aubergine et les rayures jaunes ajoutées au torchon creusent la profondeur de la composition.

Avec l'expérience, le peintre ne fait en réalité que reproduire l'ordre naturel du monde qui l'entoure. Mais pour y parvenir, il lui faut acquérir une parfaite maîtrise de la couleur et des infinies tonalités de chaque teinte.

Nuancer les tonalités

Chaque touche de couleur, aussi discrète soit-elle sur la toile, influence les autres couleurs du tableau. Il suffit parfois d'apporter une nuance à peine perceptible pour modifier toute la composition – auquel cas, il conviendra de retoucher les autres éléments pour assurer une harmonie d'ensemble.

Couleurs fuyantes

Dans ce paysage, un jaune chaud et clair figure les champs du premier plan. Au fur et à mesure que les collines s'éloignent, les tonalités deviennent plus froides pour se fondre à l'horizon en un bleu-pourpre brumeux.

Couleurs saillantes

Les couleurs vives semblent jaillir vers le spectateur. Ici, les coquelicots, suggérés par quelques touches d'un rouge vif et puissant, suffisent à faire ressortir le premier plan, modifiant notre perception du paysage.

Creuser la perspective

La température d'une couleur influence notre perception de la perspective et de l'éloignement des éléments.
Ainsi, les couleurs chaudes, sont réputées « saillantes », car elles semblent avancer vers le spectateur, alors que les couleurs froides, « fuyantes », reculent. Pour rendre les tonalités de bleu clair des couleurs du lointain, dues à l'effet de perspective aérienne, le peintre choisit des couleurs chaudes au premier plan et des couleurs froides, tirant sur le bleu-vert à l'horizon.

Couleurs vives

Les rouges, orange et jaunes vifs qui dominent ce tableau exhalent une atmosphère chaleureuse et lumineuse. Les ombres sont évoquées par un bleu clair, et non un gris ou un noir. Les éclats de lumière ont été marqués soit à la peinture blanche opaque, soit en exploitant le blanc du papier.

Couleurs éteintes

Exécutée à partir d'une palette de couleurs sourdes et fuyantes, la même nature morte est enveloppée d'une tout autre atmosphère, sombre et intimiste. Des bleus, verts, violets et bruns repoussent ici les objets vers l'arrière-plan.

Regards sur LES Couleurs

C'EST SUR LA COULEUR que repose l'atmosphère d'un tableau. Dominé par des couleurs claires et intenses, il traduira une impression de vivacité, alors que des tonalités éteintes souligneront le calme de la scène. Une harmonie analogue, déclinant des rouges, orange et jaunes, lui donnera une unité de ton, alors que des contrastes de couleurs complémentaires comme le violet et le jaune établiront un équilibre délicat. Une couleur vive produira son éclat sur un fond sombre mais, auréolée de blanc, elle semblera plus sourde. Les jeux de couleur définissent du premier coup d'œil le caractère d'un tableau.

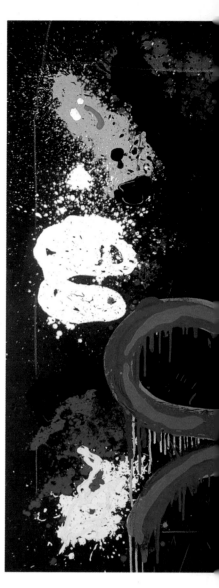

John Hoyland, *Le Miroir au tigre,* **1990,** *152 x 152 cm. On peut faire chanter et briller une couleur en la posant sur un fond gris sombre ou noir. Ce contraste isole la teinte qui est alors perçue dans toute sa pureté. On retrouve ce procédé, cher à des artistes comme Rouault et Léger, dans les vitraux du Moyen Âge. Le geste instinctif et abstrait de John Hoyland, privilégiant les tonalités vives et diaprées de rouge orangé et rose cramoisi, ressort avec éclat sur ce fond sombre. Dans ce tableau d'une grande spontanéité, les touches colorées semblent s'échapper de la toile pour jaillir vers le spectateur.*

Gregory Gordon, *Portrait de la belle-mère de l'artiste,* *61 x 46 cm. L'usage peu conventionnel de la couleur prête une force surprenante à ce portrait débordant de vie. Le pointillage multicolore, dansant sous des jeux de lumière, fait vibrer ce visage et, si nous le fixons un instant, il paraîtra s'animer sous nos yeux.*

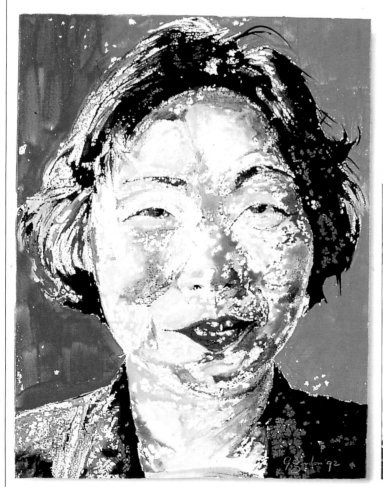

Sur chaque partie du visage, une multitude de couleurs, primaires et secondaires, contribue à traduire les tons de chair. L'artiste a ici exploité avec bonheur les effets de mélanges optiques par juxtaposition, et souligné l'unité du portrait en laissant les peintures diluées se fondre et se mêler les unes aux autres.

La plage de bleu-violet de ce détail, étalée sur fond sombre, vibre sous l'effet lumineux de l'éclaboussure de peinture jaune.

Le jaune vif, mis en valeur par une juxtaposition de bleu, ressort avec vigueur sur le noir. Pour parvenir à cet effet, l'artiste a choisi des peintures assez épaisses et opaques pour masquer le fond noir.

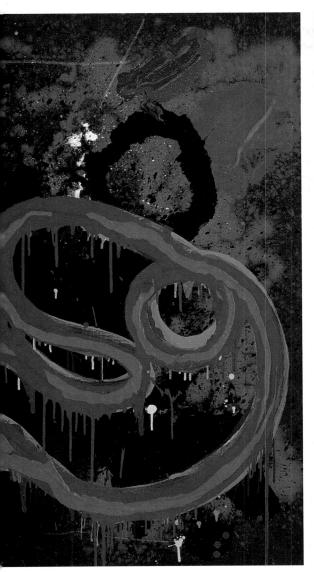

Ci-dessus : **Leonard Rosoman,** *Le peintre Richard Eurich dans son atelier,* **1988,** *122 x 168 cm.*

Ci contre : **Leonard Rosoman,** *Brian et Kathleen, Elk River, Maryland,* **1990,** *135 x 180 cm.*
Ces deux portraits de Leonard Rosoman, exécutés dans un style très cohérent, se distinguent cependant par le choix des couleurs et des tonalités, qui évoquent deux atmosphères très différentes. Le portrait du peintre Richard Eurich est dominé par des tonalités éteintes. Rosoman a ici délibérément assourdi sa palette pour rendre le calme de l'atelier et la sérénité de son modèle. La couleur affirme la sensation de paix qui envahit ce tableau. Dans le portrait suivant, il a en revanche opté pour la vivacité des teintes. Le soleil inonde cette pièce spacieuse et ouverte sur le dehors ; les jaunes et verts intenses accentuent l'atmosphère détendue de la scène.

BROSSES, PINCEAUX

Soies de porc · *Martre* · *Brosse à colle* · *Soies synthétiques* · *Poils souples synthétiques*

Pinceau chinois

SELON LES TRAVAUX ENVISAGÉS, le peintre aura à choisir entre un pinceau à poils durs ou à poils souples, naturels ou synthétiques. Les meilleures brosses dures sont en soies de porc, le poil de martre étant réservé aux pinceaux les plus souples. Cependant, les brosses et pinceaux en fibres synthétiques conviennent mieux au travail à l'acrylique.

Virole

Tirure

Fleur du pinceau

Brosse à lavis en martre

Spalter à vernir synthétique

EN ACHETANT VOS PINCEAUX, souvenez-vous que les fibres synthétiques, beaucoup plus économiques que les poils naturels, réagissent à toutes les techniques à l'acrylique. Les soies dures sont idéales pour poser de grands aplats de couleur et travailler d'un geste ample, mais on préfère les pinceaux souples pour étendre de fins lavis aquarellés, préciser les détails et réaliser certains effets spéciaux.

Quelques brosses et pinceaux adaptés à l'acrylique

Quelles que soient les caractéristiques du poil, on distingue les brosses plates, dont la virole est aplatie, des pinceaux ronds. À mi-chemin entre ces deux modèles, la brosse usée bombée, présentant une tirure arrondie enserrée dans une virole plate, est tout aussi adaptée au remplissage de grandes plages colorées qu'aux touches délicates, travaillées à la pointe du pinceau.

ENTRETIEN DES PINCEAUX

À la fin de chaque séance, nettoyez bien vos pinceaux. Les fibres synthétiques sont très vulnérables à l'accumulation de peinture sur la racine du pinceau. Dès que le faisceau de poils perd sa forme, le pinceau devient inutilisable (ci-dessous).

1 *Trempez les poils dans de l'eau froide pour dissoudre la peinture (évitez l'eau chaude qui risquerait d'abîmer le pinceau).*

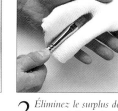

2 *Éliminez le surplus de peinture à l'aide d'un chiffon. Si besoin est, procédez à un second rinçage dans un bocal ou sous un filet d'eau.*

3 *Frottez le pinceau sur un pain de savon. Faites mousser dans le creux de la main et rincez à l'eau froide.*

• *Plus pratique que le pot de verre, ce godet à eau en forme de lanterne chinoise se replie et s'accroche n'importe où.*

Choix des pinceaux

Chaque type de pinceau pose sur la toile une touche caractéristique. Essayez plusieurs modèles avant de fixer votre choix. Le pinceau chinois en poils de chèvre, par exemple, produit des lavis d'une remarquable légèreté.

Autres pinceaux

Pour diversifier les effets de matière et de couleur, vous pouvez essayer toutes sortes de pinceaux. Le blaireau à barbe, par exemple, rend bien sur les lavis d'acrylique diluée. Bien que le vernissage des tableaux acryliques soit sujet à controverses (voir p. 68), le spalter à vernir, large brosse plate présentant une longue tirure, est idéal pour appliquer de fines couches de vernis en fin d'exécution.

Que vous optiez pour des fibres naturelles ou synthétiques, un entretien rigoureux des pinceaux s'impose. En effet, une fois sèche, l'acrylique n'est plus soluble dans l'eau et au bout de quelques minutes, un talon de peinture sèche risque de se former à la racine du pinceau. Veillez donc à les rincer après chaque usage et à bien les nettoyer en fin de travail. L'eau chaude est à proscrire, car elle fait durcir la peinture et dilate la virole. Votre pinceau perdrait bien vite ses poils...

Petit pinceau rond en martre

Pour poser des touches précises et légères, la sortie longue et souple du petit pinceau rond en martre tient très bien la pointe.

Pinceau rond en martre n° 3

Gros pinceau rond à poils souples

Les gros pinceaux ronds chargent très bien la peinture. Choisissez-les pour les touches audacieuses ou pour étaler de fins lavis.

Pinceau rond n° 8 à poils souples synthétiques

Brosse plate à poils souples

Très appréciées pour les touches carrées et épaisses, utilisées sur la tranche, les brosses plates permettent de tracer de longs filets de couleur.

Brosse plate en fibres synthétiques n° 8

Brosse usée bombée en soies de porc

La brosse usée bombée est un outil polyvalent : l'arrondi aplati de la tirure pose des touches diverses, alors que la fleur est plus adaptée aux travaux de précision.

Brosse usée bombée en soies de porc n° 5

Pinceau rond en soies de porc

Ce pinceau dur, bénéficiant d'une bonne réserve de peinture, est parfait pour les touches épaisses et empâtées. La fleur permet des manipulations délicates lorsque la peinture est diluée.

Pinceau rond en soies de porc n° 5

Brosse plate en soies

Très proche de la brosse plate à poils souples, cette brosse dure donne de meilleurs résultats pour les pâtes épaisses.

Brosse plate en soies n° 5

Brosse à lavis en martre

Idéale pour étendre de fins lavis sur des grandes surfaces. Inclinez légèrement votre support pour récupérer à chaque passe les coulures des applications précédentes.

Brosse à lavis en martre n° 22

Pinceau à colle en soies

Cette brosse dure peut aussi bien servir à remplir des plages colorées sur un tableau de grandes dimensions, qu'à appliquer un apprêt sur le support. Ces gros pinceaux exigent un entretien plus rigoureux que les petits.

Pinceau rond à colle n° 8

AUTRES PINCEAUX

Certains pinceaux de forme particulière, comme la brosse éventail et la brosse à pochoirs, ont été conçus pour modifier le rendu des couleurs et la texture des peintures. D'autres modèles, moins conventionnels, comme le blaireau à barbe ou le putois, peuvent également donner des résultats originaux.

Éventail en soies de porc

Brosses à pochoirs en soies de porc

Brosse éventail

Utilisée pour fondre des plages de couleurs à l'huile, la brosse éventail produit les mêmes effets sur l'acrylique. En raison de la prise rapide, les fondus sont limités à de petites touches et exécutés, d'un geste vif, sur fond humide.

Brosse à pochoirs

Les brosses à pochoirs, muni d'un faisceau compact de soies dures et courtes, sont utilisées pour réaliser des pochoirs par tamponnées.

Blaireau à barbe

Très pratique pour adoucir les glacis transparents, le blaireau est précieux pour travailler rapidement les grandes plages d'acrylique fine et humide. Il permet par exemple d'effacer les irrégularités d'une couleur transparente, laissant derrière lui une teinte uniforme.

Blaireau à barbe

AUTRES OUTILS

LA PEINTURE ACRYLIQUE peut être travaillée avec toutes sortes d'outils, autres que les brosses et pinceaux. Certains, comme les couteaux à peindre, associés à la peinture à l'huile, conviennent aussi bien à l'acrylique. D'autres, plus récents, comme l'aérographe et les racloirs en plastique, lui sont plutôt réservés. Un lavis d'acrylique étalé et travaillé à l'éponge rappellera les effets de matière et de transparence caractéristiques de l'aquarelle.

Couteau à peindre n° 14

Couteaux à peindre

Ce couteau permet d'étaler en surface une pâte onctueuse. Pour poser une touche énergique, choisissez une spatule courte. Une longue spatule souple produira de grands aplats de couleur. Pour enrichir une couleur fraîche d'une teinte vive, chargez la pointe de la spatule d'une noix de peinture.

Couteau à peindre n° 16

Palette en verre

Palette en plastique

Palettes

Une grande plaque en verre épais constitue une excellente palette d'atelier. Pour effectuer vos mélanges, posez-la sur une feuille de papier de même couleur que votre support. En fin de séance, rincez la palette à l'eau chaude afin de décoller la peinture sèche. Pour les petits travaux, une palette en céramique munie d'alvéoles, ou une simple assiette en céramique, fera l'affaire. Les palettes émaillées ou plastifiées sont aussi très pratiques.

Palette en céramique

Vaporisateur

Pour éviter de laisser sécher les couleurs en cours de travail, humidifiez votre palette en la vaporisant de temps à autre. Réglez la buse pour obtenir un brouillard fin qui ne risque pas de détremper la palette.

QUE L'ON TRAVAILLE sur fond sec ou en humide sur humide, les manipulations au couteau à peindre, au couteau à palette ou au racloir, doivent être exécutées sur une pâte fraîche, car dès qu'elle commence à sécher, on ne peut plus en modifier la consistance ou la couleur sans risquer d'abîmer la pellicule. Choisissez la consistance de votre peinture en fonction des effets envisagés. Selon les fabricants, certaines acryliques, en tube ou en bocal, présentent une consistance épaisse et onctueuse, idéale pour les effets de matière. D'autres, plus fluides, ont tendance à se répandre sur la toile. Si l'on souhaite leur donner davantage de corps pour réaliser des fonds texturés, on les additionne d'un médium d'empâtement ou de structure, spécialement formulé (voir p. 11, 39).

Couteau à palette n° 10

Couteaux à palette

Ces couteaux sont indispensables pour poser les couleurs sur la palette, les préparer et racler la peinture en fin de travail. Si vous fabriquez vous-même vos peintures (voir p. 10-11), utilisez un couteau pour incorporer les médiums d'empâtement ou homogénéiser les différents ingrédients sur la palette. Le couteau à lame droite (n° 10) offre un bon ressort et son tranchant effilé permet de décoller facilement la peinture sèche de la palette.

Couteau à palette coudé

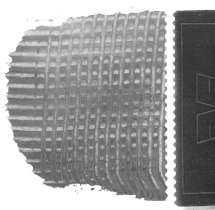

Raclette à encoller

Carte plastifiée

Enlever la couleur à l'acrylique

L'éponge sert aussi bien à étaler de fins lavis qu'à enlever délicatement la couleur. Préparez un jus d'acrylique que vous appliquerez en larges bandes régulières, de haut en bas. Pour enlever la couleur, tamponnez une éponge propre chargée d'eau sur le lavis humide.

Racloirs

Les racloirs sont des outils polyvalents. Aussi pratiques pour appliquer un apprêt acrylique que pour étaler de larges aplats ou des touches de pâte acrylique pure, ils permettent toutes sortes de jeux de couleur et de matière.

Éponge

L'éponge naturelle, qui absorbe bien la peinture, permet d'étaler de larges lavis et de créer différents effets de texture. Mélangez les couleurs pour obtenir la consistance souhaitée avant de charger l'éponge humide et propre. Les éponges synthétiques donnent aussi de bons résultats.

Rouleau en mousse

Pour poser une bande colorée de texture uniforme, chargez le rouleau en appuyant légèrement sur la noix de peinture. Une pâte épaisse produira un effet moucheté alors qu'avec un jus d'acrylique, vous obtiendrez un voile transparent. Superposez les couches en modifiant le sens d'application à chaque passe, afin de rendre un effet de dynamisme.

Aérographe

Les aérographes et les pistolets à peindre permettent de poser les petites touches de finition d'un tableau, par exemple la lueur d'une lampe, ou de larges aplats uniformément fondus. Vous pouvez les utiliser pour réaliser des pochoirs ou accentuer des effets de matière. Pour éviter que l'acrylique sèche ne bouche la buse et le pointeau, les aérographes et les pistolets doivent être nettoyés après usage sous un filet d'eau tiède.

Aérographe

CHOISIR UN CHEVALET

• Que vous choisissiez un chevalet d'atelier massif ou un chevalet de campagne, léger et pliable, prévoyez un modèle réglable, qui vous permette de fixer la toile selon différents angles d'inclinaison, de façon à pouvoir travailler en toute sécurité.

• Utilisez un appuie-main pour assurer votre geste. Cet accessoire est indispensable pour poser de petites touches précises dans le frais sur un grand format. La plupart des baguettes, qu'elles soient en bois ou en métal, sont démontables.

Appuie-main

Chevalet

Compresseur

SUPPORTS, PAPIERS

Papier à grain moyen

Papier à grain fin

Papier à grain torchon

Papier vélin

Papier à la cuve

Bloc de papier

L E SUPPORT DÉSIGNE LA SURFACE sur laquelle sera appliquée la matière picturale. La peinture acrylique s'applique aussi bien sur les papiers que sur les panneaux de bois ou de carton et sur les toiles. Si vous optez pour un support papier, préférez des papiers aquarelle sans acide. Selon la technique envisagée, vous choisirez entre trois types de texture : le papier à grain fin, calandré à chaud, le papier à grain moyen, calandré à froid, et le papier à gros grain ou torchon. Chacun de ces papiers existe en différents grammages, les plus légers pesant 190 g et les plus lourds, ressemblant à du carton fin, 638 g. En règle générale, le papier aquarelle fin doit être tendu et fixé sur une planche pour éviter qu'il ne gondole lors de l'application de la peinture.

Choix du papier
Le grain du papier détermine l'aspect final d'une œuvre. Le commerce propose une gamme diversifiée de textures, dont nous présentons ici quelques échantillons.

Matériel

Éponge naturelle

Coups de pinceau sur papier lisse
Le papier à grain fin se prête mal à l'application de lavis uniformes. Il laisse apparaître mieux que tout autre les traces de pinceau, ce qui permet de souligner un léger relief ou de mettre en valeur la fluidité d'une touche.

Coups de pinceau sur papier texturé
Lorsque l'on passe un lavis sur un papier à gros grain, les pigments les plus lourds s'installent dans les cavités, créant un effet de texture marqué. Si vous travaillez d'un geste vif, le pigment accrochera sur les aspérités du grain, pour produire un résultat plus nuancé.

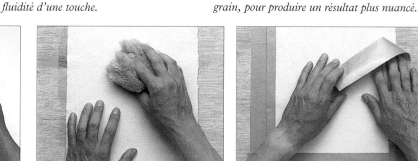

1 ▲ Avant de tendre le papier, humidifiez-le dans une cuvette d'eau froide ou en passant une éponge imbibée sur les deux faces, de façon à bien imprégner les fibres.

2 ▲ Couchez le papier humidifié sur une planche à dessin un peu plus grande.
Lissez-le à l'aide d'une éponge et éliminez l'excédent d'eau.

3 ▲ Coupez quatre rubans de kraft encollé, mouillez-les et fixez le papier sur son support. Laissez sécher. Les fibres se rétractent, tendent et aplanissent le papier.

Rubans de kraft encollé

De fins lavis aquarellés passés sur un papier blanc laissent transparaître la luminosité du support. Pour évoquer les éclats de lumière, exploitez le blanc du papier en posant des réserves. Si vous souhaitez colorer le papier, recouvrez-le d'un léger lavis uniforme, en prévoyant une quantité suffisante de mélange. Pour faire ressortir les formes et les volumes sur un papier teinté, utilisez des couleurs translucides de tonalité sombre et des couleurs opaques plus claires.

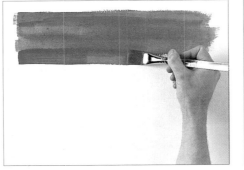

1 ▲ Préparez un mélange dilué et avec une brosse à lavis n° 22, recouvrez le papier d'un lavis uniforme qui laisse apparaître la luminosité du support. Inclinez légèrement votre plan de travail.

2 ▲ Chargez la brosse et appliquez la couleur de gauche à droite, d'un geste régulier, en chevauchant légèrement les passes. Lissez à la brosse pour faire disparaître les irrégularités de surface.

Trésors d'Amérique latine
Un fond tout en demi-teintes constitue un excellent point de départ. Nous avons ici utilisé un rouge orangé rehaussé d'un soupçon d'ombre brûlée plus soutenu que le fond pour modeler les deux poteries. Le lavis recouvrant tout le support, les rehauts et les motifs blancs de la cruche sont posés à la peinture blanche opaque. Un léger filet d'ombre bleu, reprenant en écho la silhouette verte de l'oiseau de l'arrière-plan, offre un contrepoint aux tonalités rouges et orange, dans cette harmonie de complémentaires (voir p. 12-13).

Matériel

Brosse à lavis synthétique n° 22

Jus de couleur acrylique

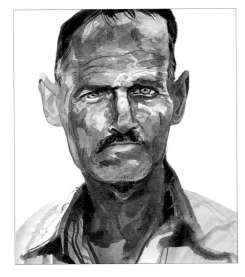

Gaucho
Un papier à la cuve sans acide et de bonne qualité donne la lumière de ce tableau. Cette sensation de luminosité est accentuée par l'expressivité du visage. Sur les zones d'ombre, travaillées en humide sur humide (voir p. 42-43), le pigment s'est installé dans les creux du papier pour produire une texture très caractéristique.

Le blanc de l'œil et les jeux de lumière qui illuminent le visage exploitent le blanc du papier. Ces rehauts attirent l'attention sur le regard clair et perçant du sujet.

Le visage est modelé par superposition de touches à peine fondues. Le support blanc perce sous chaque coup de pinceau, laissant deviner les différentes étapes qui ont présidé à la construction du tableau.

PANNEAUX ET TOILES

L A PLUPART DES ARTISTES peignent soit sur un matériau souple, comme la toile ou le papier, soit sur un matériau rigide, comme le panneau de bois. La toile, légère et maniable, réagit très bien au geste du peintre, et bien que le film ait tendance à se fragiliser sur un support souple, le problème ne se pose pas pour l'acrylique, matériau très élastique. Les panneaux rigides, plus stables que la toile, se prêtent à la plupart des techniques. Cependant, les panneaux de grandes dimensions ayant tendance à se voiler, on les collera sur un cadre de bois.

Quelques supports adaptés à l'acrylique

LE PANNEAU DE FIBRES DUR (Isorel), résistant et bon marché, est un support très apprécié, qui peut être peint aussi bien sur sa face lisse que sur sa face texturée. Les contreplaqués épais constituent des supports robustes et stables. Vous pouvez encore opter pour les panneaux de lamellé ou d'aggloméré, plus économiques. Le panneau de fibres moyenne densité (MDF), matériau utilisé pour les meubles modernes, présente une surface convenable.

Les cartons épais sans acide de type carton muséum, et les cartons toilés, associant la stabilité du panneau de bois au grain caractéristique de la toile, offrent des supports d'excellente qualité.

Panneau de bois

Matériel

Cale à poncer et papier abrasif

Pinceau queue-de-morue

Panneau de lamellé

Panneau de contreplaqué

Panneau d'aggloméré

Panneau MDF

Panneau Isorel - surface texturée

Panneau Isorel - surface lisse

Carton muséum

Carton toilé

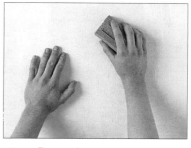

Gesso acrylique

1 ▲ Pour préparer un panneau, découpez-le aux dimensions voulues et lissez la surface et les chants avec un papier abrasif. Éliminez la poussière avant d'appliquer l'apprêt.

2 ▲ Avec un pinceau queue-de-morue, étalez une première couche de gesso acrylique étendu d'environ 10 % d'eau.

3 ▲ Poncez le panneau avant d'appliquer la seconde couche d'apprêt. Pour stabiliser le panneau et éviter qu'il ne gauchisse, préparez de la même façon les chants et l'arrière.

Peinture opaque sur toile

La toile est une surface qui épouse la touche du pinceau comme du couteau à peindre. Appliquée en pâte épaisse et opaque (à gauche), la peinture produit des effets très divers. Sous l'empreinte du pinceau, la peinture se dépose dans les creux de la toile pour produire des effets de matière.

Peinture transparente sur toile

Lorsque la peinture est appliquée en fins lavis transparents (à droite), la couleur imprègne le grain de la toile qui, plus qu'un simple support, semble intégrée à la peinture.

Choisir une toile

La plupart des magasins de fournitures d'art proposent des toiles pré-encollées, tendues et prêtes à peindre. Les toiles de lin finement tissées, un peu plus chères que les autres, sont souvent de très bonne qualité. Assurez-vous qu'elles aient été préparées avec un apprêt acrylique, seul compatible avec la peinture acrylique. Il revient moins cher de se procurer une toile brute, que l'on préparera avant de la tendre sur un châssis.

Matériel

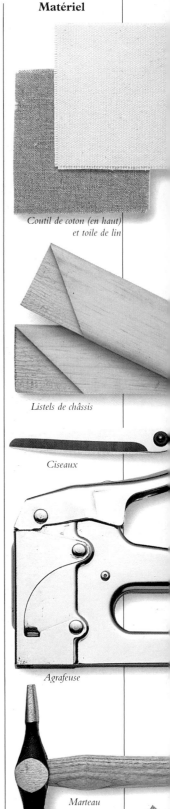

Coutil de coton (en haut) et toile de lin

Listels de châssis

Ciseaux

Agrafeuse

Marteau

Coins en bois

1 ▷ Pour monter votre châssis, emboîtez les quatre listels à la main. Consolidez cet assemblage à l'aide d'un marteau de caoutchouc (ou d'un marteau ordinaire amorti par un bloc de bois), en prenant soin de ne pas enfoncer les fibres. Mesurez les diagonales pour vérifier que les angles sont bien d'équerre.

2 ▷ Une toile de lin se tend plus facilement, mais si vous choisissez un coutil de coton, préférez une qualité forte. Coupez la toile aux dimensions, en ménageant de 4 à 5 cm de chaque côté.

3 ◁ Repliez la toile sur le châssis et agrafez-la tout d'abord au centre du premier côté. Retendez la toile et posez une agrafe au centre de chaque côté ; finissez de la fixer au châssis en procédant par ordre (voir p. 70).

4 ▷ Rabattez la toile en faisant un double pli sur l'angle et agrafez-la au châssis.

5 ▵ Insérez les coins dans chaque angle du châssis pour accentuer la tension de la toile. Pour éviter de les fendre, croisez le sens du fil des coins et celui du châssis.

6 ◁ Enduisez la toile de deux couches d'apprêt acrylique. Diluez la première et laissez sécher. Poncez à main légère avant d'appliquer la seconde en pâte épaisse. Si vous souhaitez teinter cette préparation, incorporez à l'apprêt un jus d'acrylique. À défaut, un lavis transparent sur un apprêt sec offrira une couche d'impression lumineuse.

Regards sur
LES SUPPORTS
ET LES FONDS

L E CHOIX DE VOTRE SUPPORT : toile, papier ou bois, déterminera la technique que vous adopterez. Ainsi, un panneau rigide épousera moins votre coup de pinceau qu'une toile souple. De même, une surface préparée ne réagira pas de la même façon qu'une surface brute, qui absorbera davantage de peinture. Par ailleurs, un fond coloré ou texturé imposera aussi un certain style et apportera au tableau un aspect très particulier.

Louise Fox, *3333,* 35 x 60 cm.
Exécuté sur un fond sombre, ce tableau illustre bien le rendu de l'acrylique opaque. Le papier a d'abord été teinté d'un bleu profond, tirant sur le noir puis, pour faire ressortir les couleurs, l'artiste a employé des pâtes opaques ou coupées de blanc. Ce sont ici les rehauts et les jeux de valeur, déclinant des tonalités claires et intermédiaires, qui font surgir les formes de l'obscurité. L'association de bleus et verts froids à quelques touches d'orange et de brun chaleureux enveloppe ce train de collection d'une atmosphère étrange et nostalgique, accentuée par la lumière artificielle.

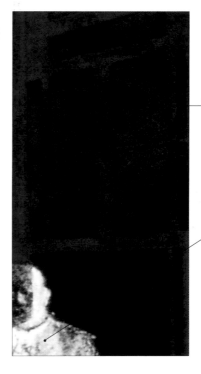

Les ombres de l'encadrement de la fenêtre ont été réalisées en travaillant délicatement le fond rouge à la brosse sèche.

Les voiles blancs du vêtement et les lueurs éclairant le ciel ont été superposés de couleurs opaques.

Jacobo Borges, *Hier,* **1975,** *99 x 99 cm,* collection privée, Caracas.
L'artiste a choisi un fond rouge, qui lui a permis de travailler avec une grande économie. Le tableau évoque les souvenirs et les rêves attachés à un lieu intime. L'aube perce dans le reflet du miroir, estompant l'image du personnage. Le spectateur, dérouté, confond peu à peu le modèle et son reflet.

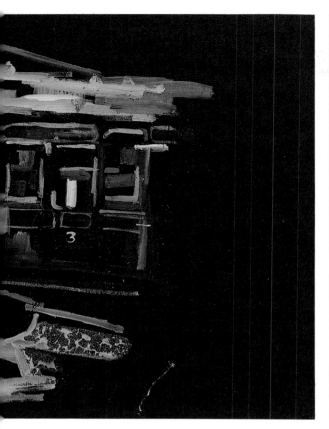

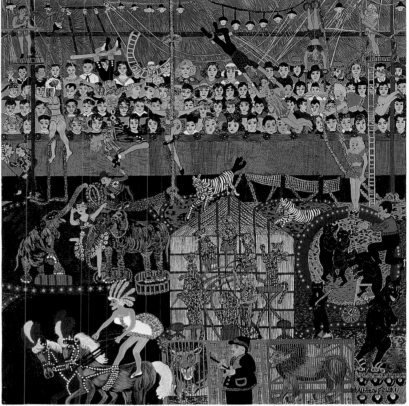

Albina Kosiec Felski, *Le Cirque*, **1971**, *122 x 122 cm*, National Museum of American Art, Smithsonian Institute.
La lumière artificielle et colorée du chapiteau se détache sur un fond sombre, éclairant avec précision les personnages et les animaux qui animent cette scène. Les rayures noires des zèbres exploitent la couleur du fond, alors que tous les autres détails ont été modelés par des mélanges d'acryliques opaques. Ce tableau coloré, défiant les règles conventionnelles de la perspective et montrant de beaux effets de matière, ressemble à un tissu richement brodé.

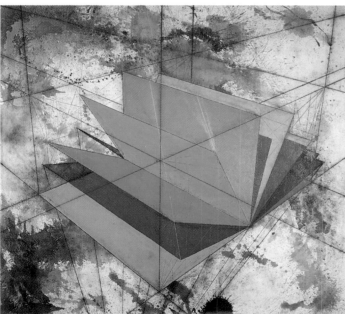

Ronald Davis, *Étude en éventail,* 290 x 325 cm, collection privée.
Pour réaliser ces effets légers et aériens, appliquez un jus d'acrylique sur une toile blanche. La peinture s'étendra et pénétrera plus profondément dans les fibres sur une toile dépourvue de tout apprêt. Dans cette étude, exécutée avec finesse, l'observateur se laisse séduire par l'illusion de mouvement et de profondeur.

Jane Gifford, *Spitalfields Market ; quatre objets,* 366 x 366 cm.
Ces quatre fonds unissent des couples d'harmonies analogues, juxtaposant le bleu profond au bleu clair et le rouge orangé au magenta. La poire et la pêche, modelées en couleurs complémentaires, semblent flotter au-dessus de leur fond. Un support de contreplaqué rigide accentue l'aspect velouté des couleurs.

LES TECHNIQUES DU PEINTRE

Carnet d'esquisses

DANS CETTE SECONDE PARTIE, nous explorons dans le détail les nombreuses techniques auxquelles se prêtent les acryliques. Par souci de clarté, nous avons choisi de les étudier séparément. Nous abordons dans un premier temps les diverses façons de traiter les fins lavis d'acrylique transparente, depuis le travail en humide sur humide jusqu'aux techniques de réserve, en passant par les mélanges optiques par superposition de couleurs et la peinture sur fond texturé. Nous nous intéresserons ensuite aux techniques opaques, permettant d'étaler de larges aplats de couleur ou de poser de vigoureux empâtements. En réalité, l'artiste pratique volontiers le mélange des genres : sur une même toile, les touches opaques se marient bien aux effets de transparence et c'est souvent l'audace d'une telle alliance qui donne à une œuvre tout son caractère.

Masques

Superposition de légers lavis d'acrylique

Approches de la peinture

Si le peintre doit connaître un certain nombre de principes et de règles fondamentales, la peinture ne saurait en aucun cas se résumer à des « recettes » rigoureuses, à appliquer froidement, d'un geste rigide et mécanique. Abordez le travail à l'acrylique, en laissant libre cours à votre instinct et à vos fantaisies. Si votre sujet semble appeler une approche différente de celle que vous aviez envisagée, n'hésitez pas, à l'instar de Julian Bray (p. 58-59), à improviser ou à changer de cap en cours d'exécution. Cette liberté s'applique autant à la composition qu'au travail des couleurs, des volumes et des textures. Inspirez-vous des exercices réalisés pas à pas, et des « trucs du métier » découverts au fil des pages pour vous constituer un répertoire de techniques à l'acrylique que vous reprendrez et adapterez au gré de vos réalisations. L'expérience vous donnera bientôt assez d'assurance pour relever de nouveaux défis, tenter de marier les techniques et d'entreprendre des projets plus importants.

Trouver son style

Au bout d'un certain temps, chacun finit par trouver les techniques les plus adaptées à sa personnalité et à se forger son style, aussi caractéristique que son écriture. Les toiles de maîtres ou d'artistes contemporains qui illustrent chaque chapitre montrent la grande diversité des styles, depuis la sobriété du geste spontané de John McLean (voir p. 47) jusqu'aux compositions complexes échafaudées par Bernard Cohen (voir p. 61). N'espérez cependant pas parvenir à affirmer votre style dès vos premiers essais ! Il ne suffit pas de maîtriser le matériau, mais encore faut-il se laisser guider par son geste afin de découvrir l'approche qui donnera son expression à la voix intérieure. Libérez-vous des contraintes académiques et fiez-vous à vos instincts, seuls maîtres de votre talent créatif.

Choisissez les pinceaux et les surfaces en fonction de votre modèle et de votre style

Ce matériel d'acrylique a été exécuté en technique opaque

Liberté et expérimentation

Pour découvrir l'artiste qui sommeille en chacun de nous, le meilleur moyen est de tracer à la moindre occasion quelques esquisses, sur un petit carnet ou simplement sur un coin de nappe en papier ! Le débutant est souvent déconcerté par une grande feuille de papier blanc, et plus encore par une toile vierge. Il espère toujours faire apparaître, comme par un coup de baguette magique, une composition équilibrée sur cette surface virginale… mais les premiers résultats seront bien décevants ! Aussi, le carnet d'esquisses est moins intimidant, qui reconnaît le droit à l'erreur, aux inévitables tâtonnements et permet parfois de belles découvertes. En travaillant ainsi, vous gagnerez de l'assurance. Prenez le temps d'expérimenter les possibilités que vous offre l'acrylique, d'essayer les outils et les surfaces les plus inattendues et d'adapter des techniques propres à d'autres types de peintures. Vous ne parviendrez peut-être pas toujours aux résultats les plus concluants mais, à force de persévérance, l'acrylique n'aura bientôt plus de secret pour vous !

Pour reproduire cette texture, enlevez la couleur épaisse et humide avec un morceau de carton fort.

L'acrylique, très élastique, se prête aux techniques les plus originales, comme ce maillage de brins de peintures sèches.

COMPOSER UN TABLEAU

DEVANT UN PAYSAGE OU UNE SCÈNE foisonnant de détails, le débutant a souvent du mal à structurer sa composition autour des grandes lignes et des volumes les plus importants. Il est essentiel de garder à l'esprit qu'un tableau ne doit pas nécessairement refléter une réalité photographique, mais traduire la vision personnelle et subjective de l'artiste. Laissez les détails superflus pour privilégier les éléments qui vous semblent essentiels.

L'atmosphère et le caractère de la scène vous dicteront ensuite le choix des couleurs et des techniques, que vous adapterez à votre style.

Vue sur un canal

Une péniche amarrée à quai sur le bord d'un canal constitue un bon point de départ pour une composition. L'œil est ici plus attiré par le bateau et les reflets sur l'eau que par la file de voitures garées sur le quai. Si l'on vous demandait de décrire la scène, vous relèveriez sans doute des éléments qui la distinguent de votre expérience quotidienne.

SI L'APPAREIL PHOTO peut être un précieux allié pour fixer une image sous différents angles, il est préférable de tracer quelques esquisses rapides du sujet au crayon. Cette méthode vous permet en effet d'éliminer les détails superflus d'une scène, pour ne retenir que les lignes et les volumes les plus intéressants. En observant vos croquis, vous parviendrez à choisir une composition harmonieuse et équilibrée. Si vous craignez néanmoins de laisser échapper une lumière, un détail ou une atmosphère, prenez quelques photographies dont vous vous inspirerez pour les esquisses préliminaires.

VISEUR

Utilisez deux carton en « L » pour cadrer votre dessin ou photographie et modifiez le cadrage de la composition, en la centrant tour à tour sur différents éléments, au détriment de certains autres.

Le viseur en carton vous permet de choisir votre sujet.

Carton en « L »

En extérieur, le viseur est indispensable pour sélectionner un angle de vue.

Esquisse au crayon

Cette esquisse définit les grandes lignes du paysage et donne une idée de la composition finale. À moins que vous ne choisissiez de reproduire une scène complexe jusque dans ses moindres détails, tracez des études préparatoires très simples et schématiques, sans surcharger le dessin.

Esquisse couleur

Quelques esquisses en couleurs, vite ébauchées, vous permettent de vous faire une idée assez précise de la disposition des couleurs sur la toile. Emportez dans vos promenades des crayons de couleur solubles à l'eau, qu'il vous suffira d'humidifier et d'estomper au pinceau souple pour obtenir des effets aquarellés.

Cadrer une composition

Les artistes qui travaillent en atelier commencent souvent par photographier leur sujet sous les angles les plus divers. À partir de cette série de clichés, ils sélectionnent le cadrage qui rendra au mieux leur perception de la scène. Si l'atmosphère fugace qui enveloppe votre sujet vous semble difficile à saisir, prenez quelques notes afin de fixer vos impressions. En construisant votre composition, étudiez bien le point de vue que vous allez adopter : d'où part le regard de l'observateur ? Un point de vue plongeant mettra-t-il mieux en valeur le sujet ou l'atmosphère qu'une contre-plongée ? La composition peut embrasser une vue panoramique ou, au contraire, n'en privilégier qu'un détail. Réalisez plusieurs esquisses afin d'étudier les diverses ressources de la scène. Efforcez-vous ensuite de traiter le sujet en choisissant des techniques capables de traduire vos impressions.

Canards sur l'eau
Ce détail simple ne retient de la vue panoramique que la petite colonie de canards (à gauche).

Vue panoramique
Cette esquisse, dominée par l'arche du pont, offre une vue d'ensemble de la scène. Le large plan d'eau qui occupe presque tout le premier plan procure une sensation d'espace. Au-delà du pont, le point de convergence des quais creuse la perspective, dirigeant ainsi le regard du spectateur au fil de l'eau.

Sujet centré
Cette composition symétrique n'est pas la plus heureuse : l'observateur, placé au niveau du bateau, ne perçoit que les formes massives de l'arrière de la péniche qui perd ainsi tout son caractère.

Vue plongeante
Vue du pont, la scène acquiert une tout autre personnalité : la péniche tracée en perspective linéaire retrouve ses formes longues et anguleuses, équilibrées par la courbe délicate du quai et la présence du personnage.

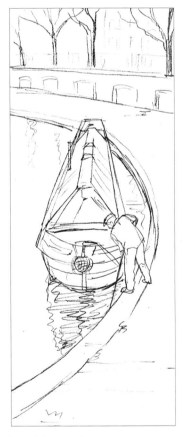

Pour concentrer toute son attention sur la péniche, le peintre a omis certains détails du cliché (p. 30), comme la file de voitures garées sur le quai.

En décalant le bateau sur la gauche, le peintre établit un équilibre idéal. L'évocation des reflets des bâtiments dans l'eau donne à la scène une atmosphère calme et sereine.

Le bateau occupe une place de choix dans le tableau mais, malgré cette exagération, le tableau traduit l'impression qui se dégage du cliché original.

Le tableau achevé
L'artiste a choisi de décentrer légèrement la péniche, située entre l'arche du pont et la courbe du quai. Cet agencement, associant un gros plan à une vue panoramique, met en valeur les volumes de la péniche derrière l'imposant gouvernail de poupe.

REPRODUIRE UNE IMAGE

IL EXISTE PLUSIEURS FAÇONS de reproduire une image sur votre support avant de commencer à peindre. Si vous êtes sûr de vous, ébauchez directement votre modèle sur la toile avec un jus de peinture. Il vaut mieux s'inspirer d'une esquisse préliminaire ou d'une photographie pour tracer les contours de l'image. Ces aides au dessin vous donneront plus de liberté pour modifier la composition à votre gré. Si vous souhaitez reproduire l'image originale à la même échelle, il vous suffit de la reporter sur votre support au papier calque. Si vous travaillez sur une toile, passez d'abord une roulette dentée sur les lignes du calque, puis appliquez une poudre de fusain à travers les trous de la feuille de calque. Pour agrandir votre modèle, vous pouvez vous servir d'un carreau de reproduction, projeter une diapositive sur la toile ou reproduire le dessin à main levée.

Carreau de reproduction

Tracez un quadrillage au crayon maigre sur l'esquisse, la photographie ou la carte postale de départ. Si vous souhaitez préserver votre original, quadrillez au feutre indélébile une feuille de papier d'acétate que vous réutiliserez sur des modèles de même taille. Fixez la grille sur le modèle au ruban adhésif. Reproduisez ce quadrillage à l'échelle de votre support et recopiez l'image carré par carré.

Crayon maigre

Crayon de fusain

Pinceau rond à pointe fine

Esquisse au pinceau

Cette méthode (ci-dessous), utilisée pour travailler d'après nature, est efficace pour reproduire une esquisse sur le support. Chargez un pinceau rond à poils souples d'un lavis très dilué d'ombre brûlée pour tracer les grandes lignes de votre composition. Pour les supports de grandes dimensions, préférez une brosse usée bombée : la tranche vous permettra de tirer les traits fins, et vous indiquerez les grandes plages de valeur avec le plat de la touffe de poils.

Mise en couleur

Simplifiez votre esquisse pour limiter les différentes plages colorées lors de la première étape de mise en couleur (ci-dessus). Choisissez des tonalités claires ou une palette monochrome afin de travailler les dégradés de valeurs qui marqueront les zones d'ombre et de lumière. Lors de la mise en couleur du tableau, vous pourrez exploiter les traits de l'esquisse ou les masquer sous la peinture.

Si le tableau reprend l'échelle du modèle, choisissez la solution la plus simple : le calque. Tracez les contours de l'image sur une feuille de papier calque, repassez sur l'envers des lignes au crayon maigre, puis reportez l'image sur votre support en hachurant la surface.

Sur une toile, il est plus facile de travailler à la roulette dentée et à la poudre de fusain, que vous recouvrirez d'un jus de peinture.

Pour effectuer un agrandissement, utilisez un carreau de reproduction.

Tracez un quadrillage sur le support puis reproduisez l'image carré par carré.

Si vous préférez projeter une diapositive sur la toile, installez-vous dans une pièce sombre ; veillez à ce que le projecteur ne chauffe pas trop vite, afin de prendre le temps de relever les contours de l'image.

1 ◁ Pour agrandir une image à main levée sur le support, utilisez la méthode classique de reproduction : tracez les contours du modèle au bâton de fusain. Le crayon de fusain dépose toutefois moins de poussière sur la toile.

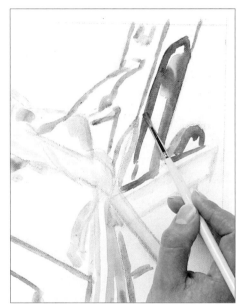

2 ▷ Avec un chiffon doux, dépoussiérez soigneusement les traits de fusain avant de passer à la mise en couleur. Les lignes à peine perceptibles vous serviront de guide sans salir la peinture.

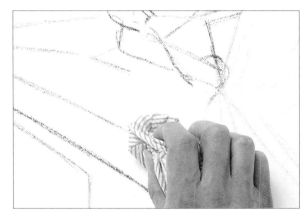

3 ▲ Chargez un petit pinceau rond à poils souples d'un jus d'acrylique et ourlez de couleur les contours du dessin. Ces premiers repères constituent la base du travail des couleurs que vous élaborerez par la suite.

Poupe de péniche
Les rehauts blancs ressortent avec vigueur sur les couleurs riches et profondes de la composition. Ce détail de la poupe de la péniche est si stylisé qu'il frise l'abstraction. La corde d'amarrage attire le regard vers le centre du tableau.

En bordant de blanc les aplats de bleu et de rouge vifs, l'artiste fait vibrer les couleurs crues et franches.

Un lavis transparent de bleu foncé recouvrant une teinte plus claire creuse la profondeur des ombres.

Des frottis de bleu clair opaque, travaillés sur un fond bleu plus soutenu, accentuent le volume du bateau.

Matériel

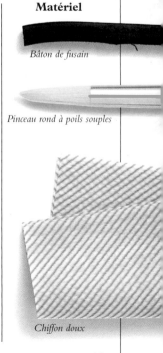

Bâton de fusain

Pinceau rond à poils souples

Chiffon doux

OMBRE, LUMIÈRE ET VALEURS

Pour traduire le volume et la position des objets sur une toile, il est indispensable de maîtriser les techniques de dégradé de valeurs. Ce sont en effet les jeux d'ombres et de lumière qui déterminent le modelé des volumes.

Pour saisir ce principe, exécutez un croquis monochrome en déclinant toute la gamme des valeurs. Profitez de ce simple exercice pour vous concentrer sur les contrastes entre les clairs et les obscurs, sans chercher à rendre les couleurs des objets.

Étude monochrome
Cette esquisse rapide pose les plages de valeur qui seront précisées par la suite.

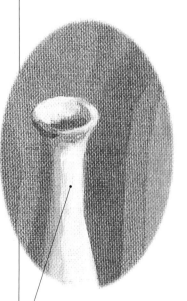

LES DÉBUTANTS ONT SOUVENT DU MAL à dissocier la notion de valeur de celle de couleur. Pour comprendre cette distinction, froissez une feuille de papier blanc ou teinté et placez-la près d'une source de lumière. Votre papier n'aura pas changé de couleur, mais vous remarquerez pourtant que les plis, chargés d'ombre, semblent plus foncés que les parties saillantes. Essayez de reproduire ces nuances sur une esquisse. Puis, entraînez-vous sur quelques natures mortes, avec une pierre ou une collection de bouteilles pour modèles. Peignez ces objets de blanc et posez-les sur un papier blanc, devant un fond blanc. Éclairez-les latéralement et observez la façon dont les jeux de lumière délimitent leurs volumes. Esquissez quelques études de ces natures mortes avec un jus de couleur, en travaillant sur fond blanc, puis sur fond coloré en lavant la couleur de blanc de titane.

Sur la bouteille, les rehauts, reflétant la provenance de la source lumineuse, sont marqués au blanc de titane. Pour décrire la courbe du col de la bouteille, essayez différentes valeurs, en fonçant progressivement la teinte.

Étude sur fond coloré
Recouvrez la toile d'un bleu léger, largement additionné de blanc de titane. Sur ce fond coloré qui fournira les demi-tons du tableau, posez les plages de valeur, en contrastant les clairs et les obscurs.

Étude sur fond blanc
À partir d'un lavis d'ombre brûlée, dégradez peu à peu les valeurs en diluant la peinture. Exploitez le fond blanc pour marquer les rehauts.

Ce détail illustre la façon dont un subtil dégradé de valeurs exprime le volume sur les arrondis de la tasse, de la soucoupe et de la bouteille. Pour parvenir à ces nuances délicates, travaillez avec une peinture très allongée.

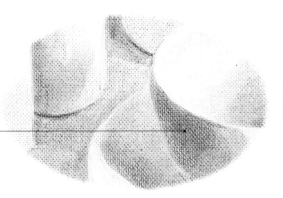

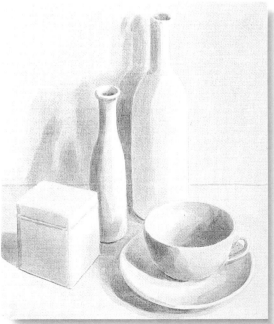

Poivrons verts

Couleurs et valeurs

Il faut une certaine expérience pour reproduire sur une surface plane un objet en trois dimensions. Lorsque vous aurez saisi la notion de valeurs monochromes, essayez-vous à quelques esquisses colorées, en gardant à l'esprit les subtiles nuances produites par les ombres et les lumières.

1 ▷ Remplissez les formes d'un vert moyen que, par la suite, vous éclaircirez et foncerez à volonté pour marquer les ombres et les rehauts qui rendront le volume de ces poivrons. Soulignez l'ombre projetée des poivrons d'un lavis violet. Cette couleur rehaussera le vert et fera ressortir les objets sur le fond.

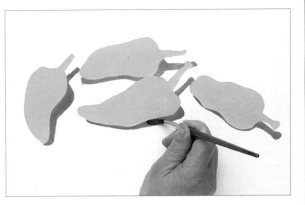

3 ▲ Préparez un vert plus clair pour rendre le volume de la tige et accentuer les arrondis de surface. Posez quelques rehauts blancs pour indiquer la source lumineuse.

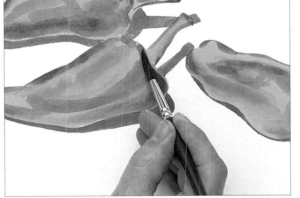

2 ◁ En travaillant avec des lavis transparents, accentuez la tonalité de vert pour modeler les contours et les creux des poivrons, qui commenceront ainsi à prendre forme. Adoucissez les parties saillantes avec une brosse propre et humide. Laissez percer par endroits la couleur de fond, qui disparaîtra presque entièrement une fois le tableau achevé.

Les demi-tons opaques de la couleur de fond ont permis de construire le volume des objets très sobrement : de fins lavis et quelques touches superposées ont suffi à creuser le relief des poivrons.

Nature morte monochrome

Ce tableau offre une telle diversité de valeurs qu'il semble très coloré. La cafetière, dont le volume est évoqué par les reflets est très réussie. Chaque objet prend forme sous une forte lumière provenant de la droite du tableau.

Nature morte polychrome

Pour cette nature morte en couleurs, inspirez-vous de l'étude monochrome. Les valeurs sombres et claires sont remplacées par des tonalités de couleurs plus ou moins intenses, mais les ombres sont ici plus marquées.

Regards sur les COMPOSITIONS

L A COMPOSITION DÉFINIT L'ORGANISATION de l'espace pictural sur un tableau. L'agencement des formes et des volumes peut évoquer une scène, une atmosphère ou fixer une impression fugace. Abordez votre sujet sous différents angles : une image en contre-plongée semblera planer au-dessus de nous, alors qu'en vue plongeante, elle semblera s'étendre à l'infini. Un tableau plein de détails rendra une sensation d'intimité. Que vous choisissiez de donner une vue d'ensemble d'un paysage ou de mettre un détail en valeur, recherchez avant tout l'équilibre. Comme en témoigne la diversité des œuvres reproduites ici, aucune règle stricte de composition ne saurait brider la fantaisie de l'artiste.

Jo Kelly, *Portrait rose,* *91 x 91 cm.*
Dans cette composition naïve et audacieuse, le plateau de table domine la scène, faisant surgir le tableau de la toile, qui semble inviter le spectateur à partager un verre de vin ou un café avec le personnage.

Gillean Whitaker, *Coquillages sur un pot de fleurs,* *91 x 183 cm.*
Cette composition fermée présente des coquillages minutieusement disposés sur l'ellipse du pot de fleurs. Cet agencement nous oblige à regarder attentivement ces objets et à retrouver notre curiosité d'enfant. Sous le pinceau de Whitaker, cette collection de coquillages rougeoie sous un soleil vif, et s'anime sur le fond diapré de jaunes dorés venant compléter les touches de rouge pourpre. Les objets projettent sur la surface plane du pot de fleur des ombres délicates qui accentuent leur volume.

Patrick Caulfield, L'*Heure du déjeuner,* **1985,** *206 x 244 cm,* The Saatchi Collection, Londres.
Cet intérieur étrange, défiant les lois de la perspective linéaire, intrigue et séduit. L'artiste explore ici diverses façons de rendre les effets de lumière et d'espace. Il ouvre une série d'angles et de plans dissymétriques afin d'attirer le regard vers les encoignures profondes, derrière les murs et au-delà de l'espace, pour retrouver le soleil et la nuit. Le peintre réussit à unir une grande diversité de techniques à l'acrylique, sans pour autant compromettre l'unité de style.

Mike Gorman, Jardin fleuri, *183 x 152 cm,* collection privée.
Dans ce charmant tableau, les fleurs modelées dans des tonalités claires d'acrylique opaque ressortent aussi bien sur le fond sombre que sur les feuillages verts. Ce thème assez classique cache une composition très audacieuse. Le jardin luxuriant déborde de son cadre et les fleurs semblent chercher à étendre leurs pétales et leurs tiges plus loin encore. Le point de vue en contre-plongée accentue cet effet, qui donne au spectateur l'impression de se pencher sur ce généreux parterre, comme un jardinier soignant amoureusement son œuvre.

Jennifer Durrant, *Arrivée,* *260 x 325 cm.*
Le fond gris-rose qui semble flotter derrière les formes aériennes orange, jaunes et bleues, ouvre la composition sur l'extérieur. Chaque élément contribue à la légèreté d'ensemble du tableau. L'artiste a accentué la puissance évocatrice de cette illusion abstraite en creusant une perspective tout à fait réaliste, et en posant sur la toile de grands aplats de couleur, sur lesquels elle a construit des reliefs par superposition de délicats frottis.

Le géranium dont les fleurs se mêlent discrètement à la couleur de fond constitue une composition autonome intégrée au tableau. Le choix de rouges et verts complémentaires souligne la vigueur de la plante.

La présence du géranium dans le tableau de Caulfield illustre l'art de la « composition à tiroirs ». Ce détail constitue en soi une composition fermée : la plante est circonscrite dans un cadre rectangulaire, qui lui-même fait partie intégrante de la toile. Admirez la précision de la touche qui traduit les moindres jeux d'ombre et de lumière sur cette nature morte.

37

TECHNIQUES OPAQUES

LES PEINTRES ONT SOUVENT EXPLOITÉ avec succès l'opacité de l'acrylique et son pouvoir couvrant qui lui permettent de masquer un fond saturé d'autres couleurs. Certaines couleurs acryliques comme le rouge de cadmium, l'ocre jaune et l'oxyde de chrome (nuance de vert) sont naturellement opaques. Mais on peut opacifier une couleur transparente, tels le rouge de quinacridone et le bleu phtalocyanine, en la coupant de blanc ou en la mélangeant à une autre couleur opaque pour faire « tomber » le ton. Pour enrichir les effets de l'acrylique, les peintres travaillent sur un fond coloré. Les parties en réserve suffisent alors à révéler des demi-teintes, tandis que les plans de lumière et les rehauts sont rendus par la superposition çà et là d'une peinture claire et opaque.

L'ACRYLIQUE OPAQUE se prête à une grande variété de genres. Vous pouvez, par exemple, étaler une couche de peinture lisse, sans aucun relief ni nuance, ne laissant deviner aucun coup de

Coquillage
Ce coquillage très coloré est peint avec une acrylique opaque, épaissie au médium gel, et quelques rehauts de blanc. La trame de la toile met en valeur l'empreinte des coups de pinceau.

pinceau. L'acrylique, posée en taches de couleur homogène, correspond bien aux exigences de ce style de peinture. Chaque aplat est alors cerné de contours fermes et « saturé » d'une couleur unique et couvrante. Bien des peintres de renom, dont Andy Warhol et Bridget Riley (voir p. 8-9), ont su exploiter ce procédé.

Une méthode simple pour obtenir ces bords droits et nets consiste à employer du ruban à masquer, que vous aurez soin de bien coller sur la toile (en appuyant fort avec l'ongle) pour empêcher la peinture de s'infiltrer sous ce cache.

Empâtements
À l'opposé des aplats de couleur se trouvent les effets d'empâtements qui s'accommodent eux aussi fort bien de l'acrylique pour mettre en relief les coups

1 ▲ Utilisez du ruban à masquer pour dessiner ce bâtiment dont les contours nets et la masse éclatante se détachent sur le ciel d'azur. Commencez par peindre le fond avec une peinture opaque posée uniformément, puis laissez sécher.

2 ▲ Collez un ruban délimitant la forme de l'édifice. Badigeonnez l'intérieur de ce cadre avec un blanc opaque, directement sorti du tube.

Matériel

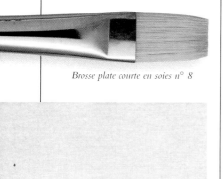

Brosse plate courte en soies n° 8

Ruban à masquer

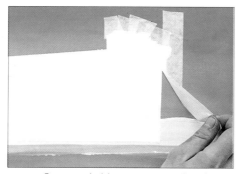

3 ▲ Lorsque le blanc est sec, retirez le ruban avec soin. Si vous avez bien collé les bords de votre ruban, vous devez obtenir une image aux contours nets.

Quelques enseignements
Le ruban a aussi servi à exécuter les fenêtres. L'acrylique opaque permet de bien découper une forme sur un fond saturé d'une autre couleur, sans avoir à en peindre méticuleusement les contours.

Bain de soleil

Les couleurs claires et lumineuses de la plage sont ici peintes avec des mélanges opaques ; les ombres sont rendues en superposant des tons foncés ou en laissant apparaître le fond marron.

Lorsque vous utilisez une peinture opaque sur un fond teinté, celui-ci donne une coloration générale, à peine devinée sous les coups de pinceau, qui apporte sa cohésion à l'œuvre. L'ajout de blanc dans le bleu de la serviette et le jaune du sable accentue l'éclat de ces couleurs saturées et les fait briller au soleil.

de pinceau irréguliers sur l'épaisse couche picturale. Traditionnellement, si l'on assimile l'empâtement à la peinture à l'huile, force est de constater que l'acrylique y ajoute une « matière » et une couleur bien particulières.

Contrairement à l'huile, l'acrylique fonce en séchant ; cet inconvénient peut poser des problèmes de raccords de couleur, si vous laissez un instant votre peinture pour la reprendre ensuite. Pour y remédier, préparez une bonne quantité de couleur que vous conserverez dans un bocal hermétique.

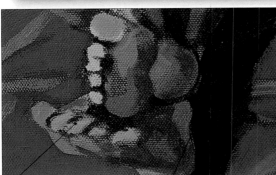

Remarquez le pied de la jeune femme, modelé par superposition de toute une gamme de tons, et, par endroits, le fond coloré.

Cette succession de couches de couleur crée ici une plage d'ombre que ravive le rouge éclatant des rayures de la serviette.

Bord de plage

L'acrylique possède une qualité supplémentaire : elle autorise les profonds empâtements. Les trois protagonistes de cette scène estivale - l'homme, la mer et le sable - se conjuguent en un riche motif de couleurs chaudes et analogues. Appliquée en touches très épaisses, l'acrylique jouit d'un avantage par rapport à l'huile : elle sèche en quelques minutes quand l'huile nécessite des mois.

Médium d'empâtement

Des médiums peuvent être ajoutés à l'acrylique pour lui donner plus de consistance et enrichir sa gamme de textures et ses effets d'empâtement. L'acrylique étant un matériau adhésif, il peut être mélangé à du sable ou tout autre abrasif.

Ces touches épaisses offrent une belle texture que l'huile avec ses risques de séchage superficiel et de craquelures, ne saurait imiter ; ces d'inconvénients n'existent pas avec l'acrylique tant sa prise est rapide et sa plasticité remarquable.

Les coups de pinceau bien visibles et la peinture épaisse et crémeuse montrent le plaisir du peintre à manier le matériau comme à traiter le sujet.

PORTRAIT À L'ACRYLIQUE OPAQUE

Croquis original
Ébauché au crayon, ce portrait a été exécuté sur du papier d'aquarelle.

LES REHAUTS exécutés avec les techniques opaques sont obtenus par l'emploi de peinture blanche, et les tons clairs par l'ajout de blanc aux couleurs de base. Une œuvre peinte à l'acrylique opaque s'apparente à la gouache, l'équivalent opaque de l'aquarelle. Mais l'acrylique présente un avantage sur la gouache : elle permet de superposer deux couches sans en diluer la première. Ce portrait froid, sans complaisance, a l'aspect fruste et légèrement terreux qui caractérise la peinture opaque. Les variations de tons sont rendues par des aplats de couleur uniforme, aux contours nets. Le mur de briques, parallèle au plan du tableau, presque palpable tant il est proche du spectateur, fait saillir le personnage de la toile.

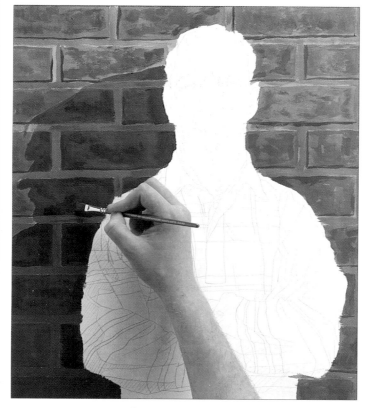

1 ◁ C'est en peignant le fond de briques que vous donnerez le ton de ce tableau. Commencez par les couleurs de base travaillées en aplat : un mélange de bleu de cobalt, d'ocre jaune et de blanc pour suggérer le mortier, de l'outremer, du rouge indien et du blanc pour le briquetage. Utilisez ensuite des mélanges foncés pour adoucir le mortier, accuser le contour et le relief des briques, creuser l'ombre du modèle.

2 ▷ Poursuivez avec la chemise ; pour les rayures vertes, ajoutez du jaune de cadmium au mélange ayant déjà servi au mortier.

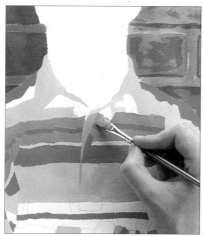

3 ◁ Comme pour le mur, commencez par les tons plats de la chemise : pour les rayures rouges, un mélange de rouge indien, de rouge de cadmium et de blanc, puis pour le bleu, un fondu de bleu de cobalt et de blanc nuancé d'un soupçon d'ocre jaune pour donner un bleu-vert délicat. La précision et la netteté de ces aplats de couleur sont obtenues en accolant ces couleurs bord à bord et en évitant tout chevauchement.

4 ▲ Prenez un pinceau n° 2 pour peindre le détail de la chemise à l'aide de fondus foncés pour les ombres, clairs pour les rehauts. Les grandes ombres sont des plages de couleur bien distinctes, tandis que les petites ombres sont appliquées sur les couleurs de base. Toutefois, l'acrylique séchant très vite, toutes les ombres pourraient être superposées. Modulez les couleurs en conséquence : pour les ombres bleues, par exemple, diminuez le blanc et augmentez la proportion de bleu de cobalt tout en ajoutant un peu plus d'ocre jaune pour atténuer la couleur.

5 ▷ Ce visage sévère est l'élément figuratif du tableau. Il faut sculpter ces traits vifs avec une large gamme de clairs, d'obscurs et de demi-teintes. Poser un léger ton chair sur le visage avec un mélange de rouge de cadmium, de jaune de cadmium et une bonne dose de blanc de titane. Dessinez l'ombre de gauche en ajoutant un pourpre rosé composé de bleu de cobalt, de blanc et de rouge de cadmium. Modelez l'autre face avec la couleur chair de base, mais plus foncée.

Matériel

Pinceau rond en martre n° 000

Brosse plate en mélange martre/synthétique n° 2

Brosse plate en mélange martre/synthétique n° 10

Brosse plate en mélange martre/synthétique n° 12

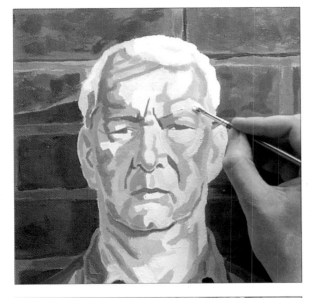

6 ◁ Ajoutez quelques demi-tons sur les deux côtés du visage. Vous pouvez maintenant déterminer la nuance pourpre foncée qui placera le côté gauche du portrait dans l'obscurité. Travaillez les cheveux avec un léger ton grisâtre en ajoutant un rien de bleu de cobalt à du blanc de titane. Exécutez les rehauts blancs des cheveux, du visage et du cou par quelques touches épaisses qui donneront du poids et du caractère au portrait.

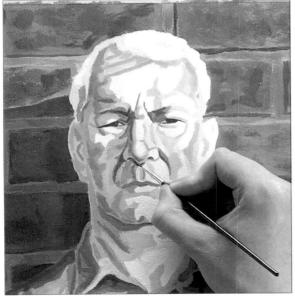

7 ▲ Terminez par quelques détails autour du nez et des yeux. Chargez le petit pinceau fin d'un mélange foncé d'outremer et de quelques gouttes d'ocre jaune : celui-ci rabat le bleu en lui ôtant un peu de sa brillance. Cette couleur sombre, mais plus chaude que le noir, donne de la précision au visage, se fond imperceptiblement dans les tons et met en valeur la forte personnalité du sujet.

Quelques enseignements

Ce portrait du père de l'artiste a été exécuté sur un dessin au crayon très léché, qui a totalement disparu sous l'acrylique opaque. L'ombre nette et profonde qui se découpe sur le mur ajoute à la rigueur de la pose et le graphisme précis des lignes « propulse » le sujet au devant de la scène.

La simplicité du dessin linéaire de la chemise fait ressortir la figure au premier plan. Les couleurs primaires rabattues donnent plus de force au modèle sans écraser les autres éléments du portrait.

Derek Worrall

41

TECHNIQUES TRANSPARENTES

LA PLUPART DES EFFETS de transparence propres à l'aquarelle peuvent être obtenus en diluant la peinture acrylique. Qu'il s'agisse de poser de fins lavis aux tons homogènes et variés, d'appliquer les couleurs selon la technique « humide sur humide » ou de superposer des lavis à une couleur sèche pour donner plus de résonance et de profondeur aux tonalités d'un tableau… les procédés sont multiples. L'acrylique sert ces effets de transparence dans la mesure où, une fois sèche, elle est insoluble dans l'eau et les superpositions de couleurs ne risquent pas de dénaturer les teintes sous-jacentes. Plusieurs techniques de réserve, aux crayons à la cire, aux pastels à l'huile et à la gomme liquide, vous permettront d'enrichir ces effets.

Effets de transparence
Une même superposition de trois couleurs transparentes peut offrir des effets différents selon la nature du support, toile (ci-dessus) ou papier (ci-contre). Dans le premier cas, les particules de pigment se déposent dans la trame du tissu, révèlent sa texture et engendrent des demi-tons expressifs.

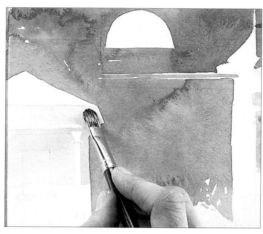

1. Dessinez l'édifice en un fin lavis orange ; laissez la peinture fluide s'étaler librement, au gré du hasard. Choisissez du jaune de cadmium clair pour le portique et réservez en blanc les surfaces qui seront par la suite peintes dans des tons clairs.

2. Ajoutez un gris-bleu sur le toit blanc, la fenêtre et le mur voisin. Utilisez des lavis plus soutenus pour donner aux plans d'ombre de l'ampleur et de la profondeur. Un lavis bleu posé sur l'orange rafraîchit la couleur, suggérant une voûte ombragée.

L'acrylique doit ici sa transparence à la subtilité de ces voiles superposés de couleur translucide, éclairés par le blanc du papier.

Ces contrastes tranchés d'ombre et de soleil sont créés par la superposition de lavis foncés et de lavis clairs.

Jeux d'ombre et de lumière
L'œuvre achevée est le fruit d'une juxtaposition de lavis fins exécutés avec un peu d'outremer, de Sienne brûlée, de pourpre (composé de rouge brillant foncé, de bleu phtalocyanine et de gris de Payne) et de jaune clair azo (ci-contre).

Ce lavis orangé ajoute une touche chaude qui fait saillir le mur tandis que les bleus complémentaires renforcent la perspective.

Fenêtre ensoleillée
Cette mosaïque de lavis aux accents chauds – orangés, abricot et jaunes – évoque une façade miroitant sous le soleil. Les ombres froides de la fenêtre sont rendues par des lavis pourpres nuancés de bleu.

Couleurs éteintes
Le fond bleu-pourpre foncé est traité de la même façon que la fenêtre ci-dessus, mais les couleurs utilisées ici pour façonner la pierre sont assourdies ; les lavis de bleu céruléum et de Sienne brûlée suffisent à créer des effets d'atmosphère.

Ce ciel jaspé est obtenu par la superposition de couleurs humides. Les lavis neutres s'accordent avec le blanc du papier pour dessiner ces ombres douces sur la coupole ensoleillée.

Ces teintes pourpres suggérant l'ombre profonde sur les murs tranchent avec les lavis bleu clair et jaunes à tendance froide, qui créent de subtils gris verdâtres à droite de la coupole.

Technique « humide sur humide »

Ici, la plage d'ombre n'est pas monochrome (voir page précédente), mais a été réalisée selon la technique « humide sur humide » qui consiste à poser plusieurs couleurs sur une partie encore humide du tableau pour les laisser se fondre au hasard.

Maîtrise des lavis

La réussite de ce procédé repose sur un juste équilibre entre le geste mesuré du peintre et sa spontanéité. Limitez les effets de la technique « humide sur humide » en mouillant certaines plages de couleurs bien délimitées (ici, le côté d'une colonne dans l'ombre). Vous donnerez à votre peinture une part de hasard et de liberté, sans vous ôter la maîtrise de l'œuvre.

Interaction des couleurs

Les couleurs s'influencent les unes les autres lorsqu'elles sont travaillées en « humide sur humide ». Faites un essai : si certains mélanges donnent des couleurs plutôt ternes (en haut), la superposition de deux fins lavis peut produire de séduisants effets marbrés dus à l'extrême dilution du pigment (en bas).

LES TECHNIQUES DE RÉSERVE

Les techniques de transparence reposent davantage sur le blanc du papier que sur la couleur de la peinture pour suggérer les rehauts. À cet effet, il vous faudra peut-être mettre en réserve certaines parties ou protéger les surfaces claires du tableau. La gomme liquide répond fort bien à ces impératifs. Passez-la sur la zone à préserver (en vous servant d'un vieux pinceau que vous rincerez aussitôt), laissez-la sécher, puis continuez votre ouvrage. Lorsque la couleur est bien sèche, retirez la pellicule de gomme liquide.

Le résultat (vernis à la cire et gomme liquide)

Décollez la gomme liquide

Le pastel à l'huile et la bougie se comportent comme la gomme liquide, sans toutefois repousser la couleur acrylique qui devra s'intégrer au rendu final. Le pastel à l'huile, appliqué ici sur les volets, la voûte de la porte et par endroits sur le mur, se devine sous les lavis transparents.

La gomme liquide est utilisée sur les marches et le mur encadrant la fenêtre. En la retirant, on découvre le papier dont la blancheur sert à évoquer un rayon de soleil ardent projeté sur le mur.

Quelques enseignements

Les couleurs vibrantes et les ombres accusées sont caractéristiques des scènes peintes sous des climats chauds. Choisissez des orangés et des jaunes pour évoquer l'éclat du soleil (du jaune de cadmium clair, pur ou mélangé à du rouge de cadmium clair). À l'inverse, des pourpres, constitués de tons froids de vert et de bleu phtalocyanine évoqueront les ombres. Travaillez toujours du clair au sombre en superposant les lavis afin d'obtenir des tonalités plus soutenues. Dans tous les cas évitez les repentirs et les surcharges de couleur.

ÉTALER LES LAVIS

LA PEINTURE ACRYLIQUE travaillée en transparence s'apparente à l'aquarelle dans son exécution comme son fini. Vous utiliserez le blanc du papier pour créer les rehauts et illuminer les autres couleurs et tonalités de la composition. Pour suggérer les clairs, vous allongerez la couleur à l'eau afin d'obtenir un « jus de peinture », idéal pour les fins lavis. Appliquez les tons foncés en mélangeant des lavis plus soutenus ou en les superposant. Sur ce tableau, les réserves de papier blanc évoquent les plages de lumière vive, comme la coupole, la façade est de l'édifice, le trottoir et la chaussée en plein soleil. Foncez les tons pour rendre les plans d'ombre – chaude à gauche, froide à droite – et suggérer avec conviction la quiétude et la douceur de vivre d'une scène de rue orientale.

Photographie de référence
Lorsque vous vous inspirez d'une photographie, point n'est besoin de la restituer dans ses détails. Servez-vous en de modèle pour exécuter votre thème central et modifiez les détails à loisir.

1 ▲ Prenez une grosse brosse à lavis pour poser un lavis bleu moyen sur le fond. Le blanc du papier suffit à suggérer la coupole ensoleillée ; travaillez les détails au pinceau fin n° 2. Avec une Sienne naturelle mélangée en « humide sur humide » à une Sienne brûlée, commencez à dessiner les ombres chaudes de la façade ouest.

2 ◀ Mélangez un rouge brillant foncé et un bleu céruléum pour esquisser les ombres violacées des murs et dessiner la forme générale du bâtiment. Posez un lavis de vert olive, d'outremer et de Sienne brûlée au pinceau à lavis pour suggérer les immeubles ombragés à l'arrière-plan.

3 ▲ Creusez les ombres sur l'avancée de la coupole avec un pourpre composé de rouge brillant foncé et de bleu phtalocyanine. Esquissez les arcades et tracez les détails des fenêtres avec un pinceau rond n° 6 trempé dans de la Sienne naturelle diluée. Peignez au pinceau fin n° 2 les petits détails qui ornent le fronton de l'édifice.

4 ◀ La façade du bâtiment prend forme avec un mélange de bleu phtalocyanine et de vert olive qui précise les fenêtres. Peignez ensuite le panneau de sens interdit en rouge de cadmium. Les fenêtres des immeubles à l'arrière-plan sont suggérées par un lavis de bleu phtalocyanine posé au pinceau rond n° 6.

5 ▲ Les silhouettes des passants sont évoquées d'une seule touche de couleur pour dessiner la tête et un blanc de titane, posé en transparence sur les couleurs de l'édifice, pour figurer le torse. Les jambes sont traitées dans une gamme de gris, de marron et de pourpres neutres, mélangés sur la palette. Précisons que le blanc de titane, superposé au marron, tire sur le bleu et se distingue ainsi du blanc du papier qui apparaît en d'autres endroits du tableau.

Quelques enseignements

Les rehauts obtenus par les réserves de papier blanc expriment les flots de lumière irradiant la façade et se reflétant sur la chaussée en contrebas. La superposition de lavis transparents suffit à dessiner la forme générale de l'édifice et ses environs, tandis que les détails de l'architecture sont affinés au petit pinceau rond. Les badauds semblent osciller entre rêve et réalité ; ils sont animés d'un léger mouvement que suggèrent quelques touches posées en fins lavis colorés.

La réussite de cette œuvre tient à l'équilibre entre les lavis librement étalés et la finesse de quelques détails qui définissent l'image sans jamais la surcharger.

L'artiste a librement interprété une vue d'Istanbul, sans chercher à copier la réalité. Certaines figures du premier plan ont disparu et les bâtiments du fond ont changé. N'oubliez pas qu'une profusion de détails distrait le spectateur du centre d'intérêt et se révèle difficile à interpréter.

Le fond est évoqué par des lavis et une grande économie de détails pour donner plus de force à l'image centrale.

Julian Bray

Matériel

Pinceau rond en martre n° 2

Pinceau rond en martre n° 4

Pinceau rond en petit-gris n° 6

Brosse à lavis en fibres synthétiques

Regards sur LES Styles

L A POLYVALENCE DE L'ACRYLIQUE permet une grande variété de styles. Très diluée, elle autorise de charmants effets aquarellés et s'accommode de n'importe quel support. Elle peut aussi se travailler en touches opaques, semi-opaques, ou très épaisses pour imiter les empâtements qui sont traditionnellement l'apanage de la peinture à l'huile. La multiplicité des genres représentés ici illustre les différentes approches des artistes : les uns se contentent d'une technique pour créer de puissants effets, d'autres n'hésitent pas à varier les registres d'un même tableau.

Christopher Lenthall, *Sans titre,* *152 x 152 cm.*
Cette peinture a toutes les apparences d'un dessin Pop'Art et manifeste l'intérêt de l'artiste pour la typographie. Son aspect propre, lisse et brillant doit ces effets à l'application très homogène de couleurs opaques, au sortir même du tube, sans aucune modulation. Le fond bleu clair est en fait un apprêt teinté. Lenthall se sert ici de pochoirs pour tracer les contours de ses motifs, avant de les colorier.

Gabriella Baldwin-Purry, *Karen,*
53 x 74 cm.
Cette peinture, en grande partie monochrome, est travaillée selon une technique d'aquarelle transparente. Son immédiateté tient à l'emploi libre et fluide du matériau, le blanc du papier illuminant les fins lavis.

Jane Gifford, *Marionnette birmane,* *99 x 65 cm.*
De fins lavis transparents sont ici recouverts d'épaisses touches de couleur opaque. Celle-ci masque presque entièrement le tableau, lui donnant une richesse qui fait écho aux chamarrures du costume. Cette œuvre fascine par l'exubérance des touches et des couleurs.

David Evans, *Jetée et vieux phare,*
8 x 10 cm.
L'exécution de ce bord de mer émouvant,
résolument figuratif, fait appel aux techniques
opaques : les couleurs sont rehaussées de blanc
pour éclaircir les tons et la peinture est appliquée
en touches assez épaisses. Cela donne au paysage
une rudesse empreinte de mélancolie. Le sujet est
traité avec une simplicité quasi naïve, que
compense un choix raffiné des couleurs, comme
en témoignent les teintes sourdes, subtilement
ravivées par la touche rouge orangé qui coiffe le
phare. L'artiste est parvenu à doter son tableau,
pourtant de dimensions restreintes, d'une grande
impression de vie.

Ces bandes rose, orange, vert pâle,
abricot et bleu clair ont été peintes
en une seule couche épaisse, d'un
geste franc. L'artiste exploite ici
l'opacité et le pouvoir couvrant de
l'acrylique.

Albert Irvin, *Madison,* **1990,** *86 x 122 cm.*
Irvin a toujours célébré la richesse expressive de la
peinture et ce tableau ne fait pas exception à la
règle. Il traite la couleur acrylique avec une
étonnante vitalité, mêlant touches impétueuses et
couleur pure dans une composition vigoureuse et
enlevée. L'opacité des mélanges permet de masquer
certaines parties d'un seul coup de pinceau.

John McLean, *Avalanche,* *146 x 231 cm,*
Francis Graham Dixon Gallery.
Le style très dépouillé de l'artiste cache une grande
maîtrise de l'acrylique. McLean travaille la
peinture en de fins lavis transparents, souvent posés
sur une toile brute pour resserrer les liens étroits
entre la couleur et le support. Ce « jaillissement
d'étoile », dont la vibration repose sur la
juxtaposition de couleurs analogues, est animé
d'une éclatante vitalité.

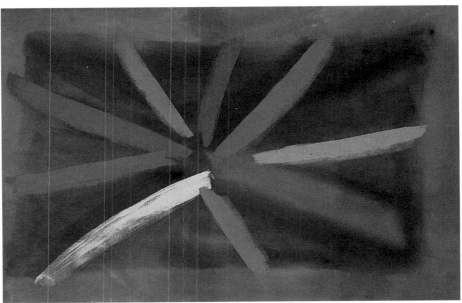

TECHNIQUE À LA BROSSE SÈCHE ET FROTTIS

LA TECHNIQUE À LA BROSSE SÈCHE permet d'obtenir des effets intéressants en frottant un support avec une brosse imbibée de peinture. À cet effet, on privilégie souvent une brosse en soies et un support texturé, dont les reliefs retiennent la couleur tandis que les creux gardent leur teinte initiale. Pour enrichir les effets, on enduit le support d'une autre couleur.

Les meilleurs résultats sont obtenus en essuyant la brosse chargée de peinture sur un chiffon, afin de l'« assécher » au maximum avant de peindre.

Le frottis consiste à brosser une couleur semi-opaque, fine ou épaisse, sur une couleur sèche. Cette dernière transparaît par endroits et ajoute à la beauté du rendu final.

SI VOUS OPTEZ pour une acrylique fine, épongez le surplus de peinture ou d'eau avec un chiffon ou un papier absorbant. Si vous utilisez une acrylique épaisse (toute indiquée pour ce procédé), chargez la brosse de couleur pure, directement sortie du tube, avant de la travailler sur la palette ou un chiffon. Faites un essai avec une couleur opaque et claire sur un fond coloré et « grainé », ou une couleur foncée sur un fond blanc : la peinture déposée en relief révèle des demi-teintes, alors que les creux restés vierges découvrent le support.

Village mexicain
Ici, les formes et les ombres ont été dessinées dans des teintes bien précises, sur lesquelles on a « brossé » des couleurs fort différentes. Aussi un bleu froid ou un pourpre sur les jaunes et les orangés chauds donne-t-il aux ombres richesse et profondeur. Les échelles ont été ajoutées en touches légères, d'un geste rapide.

Cactus à la brosse sèche
Le cactus ci-dessus est exécuté sur un carton toilé, mais en fait toute surface rugueuse, papier, carton ou toile, constitue une bonne base pour exploiter ce procédé. À l'opposé, une surface lisse (ci-contre) nécessite une plus grande dextérité pour manier la brosse qui, de surcroît, doit être très sèche.

Exemples de frottis
Les effets obtenus avec le frottis sont multiples : entre un vermillon frotté sur du jaune de cadmium et un jaune frotté sur du vermillon, la différence est flagrante. Des tons clairs frottés sur des couleurs foncées créent une subtile profondeur.

Forme et couleur

La technique à la brosse sèche permettant de créer des demi-tons, elle se révèle parfaite pour peindre les sous-couches d'un tableau qui, par exemple, serviront à modeler les formes simples du sujet.

Le frottis n'a pas son égal pour éclaircir les tons et moduler les couleurs. L'idéal est de construire une sous-couche avec une première couleur, puis de frotter sur celle-ci la dernière couleur de la composition. Une autre méthode consiste à superposer deux couches de même couleur, la première foncée, la seconde claire et opaque.

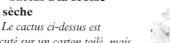

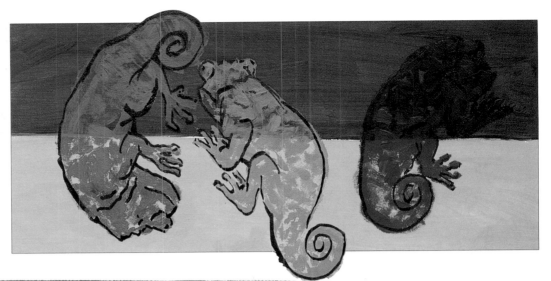

Caméléons

Cet exercice montre la différence entre frotter une couleur opaque sur un fond clair et sur un fond sombre : sur le jaune vif, les couleurs semblent foncer ; à l'inverse, sur le bleu foncé, elles paraissent s'éclaircir. Ces jeux de couleurs illustrent bien la richesse des effets obtenus par le frottis.

Femmes et enfant mexicains

Cette scène de village mexicain est un exemple type de mariage réussi entre la technique à la brosse sèche et le frottis. Ici, le tissage grossier de la toile – et ses tons chauds marron orangé – sert autant le sujet que le style du tableau. Sur les parties brossées, la couleur se contente d'effleurer la toile, à contre-fil. Les plages ombragées sont le résultat d'un frottis bien sec.

Les frottis bleu foncé dessinent les ombres sur les colonnes, le sol et les jupes des femmes. Le fond marron, visible par endroits, suffit à donner de la tenue à l'ensemble.

Cette couleur opaque, sèche et épaisse, posée sur les aspérités de la toile, suggère le soleil qui illumine la façade blanche du bâtiment à l'arrière-plan et le sol.

FONDU

*Fondu de couleurs
opaques*

CETTE TECHNIQUE consiste à faire passer progressivement une couleur dans une autre. Le mélange des couleurs peut s'effectuer sur la palette ou dans l'œil du spectateur par la juxtaposition ou la superposition sur la toile de petits points ou de contre-hachures de couleur pure ; on parle alors de « fondu optique ». Lorsqu'il s'agit de couleurs opaques, il faut les fondre rapidement, avant que la peinture sèche, avec un pinceau propre et humide. Lorsque les couleurs sont transparentes, la tâche est plus aisée : vous pouvez étaler des lavis sur un papier mouillé, jeter la peinture sur un papier humide pour créer des effets étoilés, ou fondre les couleurs avec un pinceau humide.

LE MÉLANGE DES COULEURS OPAQUES impose une grande rapidité d'exécution, car l'acrylique sèche vite. Pour une couleur transparente, les dégradés de valeurs s'obtiennent par superposition de fines couches, en atténuant les tons avec un pinceau propre et humide. Vous pouvez aussi humidifier le papier pour que la peinture se fonde en lui et éclaircisse de ton.

Fondu opaque
Sur un carton toilé, on juxtapose plusieurs tons orangés. Puis, avant qu'ils ne sèchent, on adoucit la bordure trop brutale entre deux tonalités, avec un pinceau humide et propre, pour assurer le passage progressif d'une valeur à l'autre.

Quelques enseignements
Ce tableau résume toutes les techniques de fondu étudiées ici, comme la fusion progressive de plages humides de couleurs transparentes et le mélange, plus physique, de couleurs opaques. Les exemples de contre-hachures sont illustrés par les algues (à gauche), et les dégradés de valeurs par le corail moucheté.

Contre-hachures
La méthode de fondu, qui consiste à ombrer une surface au crayon, remonte à la Renaissance. La couleur acrylique s'applique, elle aussi, en traits fins. Vous pouvez ainsi monter les tons, structurer les formes et fondre les couleurs en traçant de fins croisillons. Ce procédé donne d'excellents résultats.

Ces touches en pointillés, tamponnées sur les lavis humides, donnent de la matière aux branches de corail.

Avec une couleur translucide estompez les rayures au pinceau humide.

Fondu au pinceau humide

Étalez une peinture transparente sur une branche de l'étoile de mer, puis diffusez aussitôt la couleur en faisant glisser un pinceau propre et mouillé au centre de la branche. Dessinez l'ombre en passant de la même façon un pinceau humide dans la couleur diluée.

Fondu humide sur humide

Passez une éponge humide sur la surface de papier occupée par le coquillage, puis posez les deux principales couleurs en lavis transparents. La peinture sèche, remouillez le papier et parsemez de petites touches de couleur qui vont se diffuser pour suggérer les tachetures de la coquille.

Le fondu humide sur humide donne aux rochers de subtiles couleurs.

ADOUCIR LES TONS

• Avec un gros pinceau rond, étalez un large ruban de couleur translucide sur le papier, puis, sans attendre, estompez ses contours au pinceau propre et humide.

• Les effets des lavis exécutés sur papier mouillé varient selon que le papier est plus ou moins humide.

Fondu au pinceau humide

Lavis sur papier mouillé

Fondu sur papier humide

Avec une éponge, mouillez légèrement la surface de papier correspondant au galet, puis posez les couleurs en les laissant se disperser et se fondre naturellement. Variez peu à peu la quantité et la dilution de la peinture. Terminez par les fines lignes de couleur opaque qui suggéreront les marbrures du galet.

Fondu optique

Appliquez un semis de petits points uniformes, de couleur pure sortie du tube, pour modeler les tons et les couleurs de l'étoile de mer. La juxtaposition de bleu et de rouge orangé découpe des ombres foncées sur les couleurs neutres.

Prenez un pinceau humide pour fondre cette strie de couleur opaque.

Les mouchetures du corail sont obtenues par fondu optique.

FONDRE LES COULEURS AU PISTOLET

Le pistolet permet d'obtenir un dégradé de valeurs très progressif. Utile pour les grands formats, il est d'un maniement plus délicat pour les petits détails.

Ce rectangle bicolore est le résultat de deux pulvérisations : une première pulvérisation de jaune, suivie d'une seconde de Sienne brûlée, sur la moitié de la surface.

Les tons plus soutenus ont été obtenus en repassant plusieurs fois sur une même couleur.

GLACIS

LE GLACIS CONSISTE A DÉPOSER un léger voile de couleur sur tout ou partie d'un tableau pour engendrer des effets de transparence. Très fluide, il intervient en couche mince pour recouvrir tout un fond d'une seule couleur et l'enrichir d'une teinte dominante. Il peut aussi se pratiquer sur un ou deux détails d'une surface déjà peinte pour en modifier la coloration.

Modifier les couleurs

Ici, le vert lumineux de l'herbe a été rabattu par un très léger glacis rouge. Mais attention, une seule couche de glacis suffit à « casser » le vert initial, pas plus !

Un glacis posé sur toute la surface *s'apparente à un filtre de couleur sur un objectif photo. Ce paysage a été « rafraîchi » par un glacis bleu appliqué au pinceau (à gauche) et au pistolet (à droite). Pour éviter les coulures au pistolet, effectuez plusieurs pulvérisations d'un fin brouillard de couleur et laissez bien sécher la peinture entre chaque vaporisation.*

LA RAPIDITÉ DE SÉCHAGE de l'acrylique vous laisse peu de temps pour appliquer un glacis. Celui-ci est travaillé directement sur la surface à peindre pour être réduit en fine pellicule de couleur homogène. Puisqu'il faut l'étaler d'un geste vif et décisif, avant que la peinture ne sèche, il est bon de travailler sur de petites surfaces à la fois. Mélangez la couleur pour obtenir une pâte fine et appliquez-la au pinceau. Attendez une ou deux minutes, puis travaillez-la sur le tableau avec une brosse en soies sèche ou un blaireau à barbe.

1 ◀ Il s'agit ici d'étudier les effets d'un glacis sur l'allure d'un tableau. La cafetière, peinte dans une large gamme de tons et de couleurs, attend de recevoir un glacis qui donnera plus d'unité à l'ensemble. N'oubliez pas de bien assécher votre brosse sur un chiffon ou un papier absorbant avant de travailler sur un glacis.

Jane Gifford

Matériel

Pinceau rond mélange martre/ fibres synthétiques n° 10

2 ▲ Appliquez un fin lavis d'ocre jaune et de médium de transparence au pinceau n° 10 pour uniformiser l'aspect de la cafetière tout en enrichissant la couleur du métal.

3 ◀ Dessinez une ombre autour de la cafetière avec un glacis d'outremer et de médium de transparence, appliqué en couche très fine pour ne pas éteindre le ton chaud du kilim rouge.

Quelques enseignements

L'œuvre achevée, on dépose un voile de rouge indien et de médium de transparence sur toute la surface du kilim, à la brosse plate n° 22. Ce glacis atténue la teinte du fond, avive et harmonise toutes les couleurs. La peinture acquiert une douceur et une richesse qui conviennent fort bien au sujet. La cafetière turque et la couverture orientale luisent de mille feux, comme sous un éclairage artificiel.

Brosse plate mélange martre/ fibres synthétiques n° 22

Les rudiments du glacis

Lorsque vous exécutez un glacis, utilisez des pigments naturellement transparents (voir p. 38) ou diluez des pigments plus opaques. Vous pouvez aussi délayer la peinture, sans lui ôter sa consistance, en mélangeant un soupçon de couleur à du médium gel ou du médium de transparence.

Le pinceau n'est pas impératif. Si vous exécutez un glacis avec un médium gel teinté, vous pouvez racler cette pâte avec un morceau de plastique souple, une vieille carte de crédit, etc. pour l'étaler en fine couche homogène.

La connaissance des couleurs et de leur interaction vous permettra d'obtenir de riches effets inédits. Un glacis bleu posé sur du jaune donne un vert, que ne peut imiter un jaune et un bleu mélangés sur la palette. Initiez-vous aux glacis de couches superposées : vous les utiliserez lorsque votre tableau le nécessitera.

Pour varier les effets, pratiquez le glacis sur des camaïeux marron et blancs ou gris et blancs, ou peignez la sous-couche d'un tableau dans la même couleur que le glacis, mais dans un ton plus pâle et opaque. Le glacis s'accommode bien d'une sous-couche en demi-ton, c'est-à-dire ni trop claire, ni trop foncée.

1 ▲ Posez les premières plages colorées et dessinez les motifs complexes avec des glacis. La mise en couleur de la sous-couche s'effectue avec un jaune de cadmium semi-opaque pour le fond, des glacis de cramoisi d'alizarine et d'orange de cadmium sur le jaune sec pour la couverture, et un glacis bleu céruléum pour le paquet.

2 ▲ Les couleurs étant sèches, traitez les ombres du paquet bleu avec un glacis pourpre à base de bleu phtalocyanine. Travaillez les motifs de la couverture et donnez de la matière aux objets en superposant les glacis.

3 ▷ Mélangez un bleu de cobalt très allongé à un médium gel. Avec le spalter, passez ce glacis en transparence sur le fond jaune pour évoquer les ombres qui bordent le tableau. Le bleu creuse et avive les ombres (mieux qu'un gris ou un noir) tout en s'harmonisant avec le jaune vif. Ajoutez encore quelques détails en superposant les glacis.

4 ▲ Pour accentuer le fond, recouvrez-le entièrement d'un glacis de jaune de cadmium qui équilibrera l'orange saturé du premier plan (lui-même obtenu par un glacis d'orange de cadmium sur le fond jaune). Lorsque vous traitez de grandes surfaces, balayez la toile d'un geste rapide et décisif pour assurer l'uniformité du rendu.

Glacis lumineux
Cette nature morte, résultant d'une superposition de glacis, est très lumineuse. Un dernier glacis bleu de cobalt affirme les ombres latérales.

L'ail a été modelé en posant de très fins glacis sur la préparation blanche du support. Ce fond brillant perce sous les glacis pour rendre la subtile transparence et la texture presque palpable du végétal.

Ian McCaughrean

Matériel

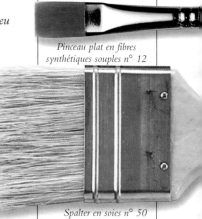

Pinceau plat en fibres synthétiques souples n° 12

Spalter en soies n° 50

LA PEINTURE «ALLA PRIMA»

L A PEINTURE *ALLA PRIMA* (de l'italien « premier jet »), chère aux artistes peignant à l'huile depuis le XIXe siècle, convient très bien à l'acrylique. Une œuvre exécutée « dans le frais » n'est pas l'aboutissement de multiples couches espacées de longs temps de séchage, mais le résultat direct d'une seule séance de travail, d'après nature, sans dessin préparatoire. Cette méthode a l'avantage de révéler le geste et le tempérament du peintre dans toute sa spontanéité, ce qui lui donne une fraîcheur incomparable. N'allez pas croire pour autant que vous réussirez du premier coup. La peinture à l'huile accepte les retouches, mais il faut pour cela la

gratter en surface. Rien de tel avec l'acrylique dont la grande rapidité de séchage autorise les repentirs presque immédiats.

Lavis rapides
Cette étude libre, sur papier aquarelle épais, traduit le geste spontané et l'inspiration directe de l'artiste face à une veste posée nonchalamment sur un dossier de chaise. La peinture est diluée, à la manière d'une aquarelle, et les lavis bien dissociés préservent leur forme et leur couleur tout en se fondant par endroits.

Étude opaque
Ici, la chaise est traitée avec plus d'opacité et de matière. On applique à la brosse sèche une acrylique assez épaisse qui laisse son empreinte sur les reliefs du papier en épargnant les creux pour donner cette richesse de texture. Comme sur l'étude précédente, le fond blanc sert d'élément positif. N'oubliez pas de bien sécher la brosse sur un chiffon après chaque passage de couleur.

TRÈS SOUVENT, la manière *alla prima* est utilisée dans la peinture paysagiste. Toutefois, cette technique s'adapte à toute œuvre dans laquelle l'artiste s'attache à exprimer la spontanéité et la fraîcheur des sentiments. Pour vous familiariser avec ce procédé et le pratiquer en atelier avant de vous aventurer en plein air, exercez-vous sur quelques natures mortes simples, comme celles représentées ici.

Si vous envisagez, par exemple, de traiter une scène figurant des personnages, il vous faudra peut-être exécuter quelques études intermédiaires d'une silhouette ou d'un groupe de personnes, comme le croquis sur le vif des deux bouquetières de la page 55.

DU BON USAGE DE LA PEINTURE ACRYLIQUE

L'acrylique a le défaut de ses qualités : elle sèche vite, mais elle laisse peu de temps pour la travailler (surtout à l'extérieur ou en pleine chaleur) sur la toile ou sur la palette.
Pour y remédier, voici quelques conseils : n'utilisez

que la quantité strictement nécessaire de peinture, rafraîchissez votre palette par une légère pulvérisation d'eau, ajoutez à la peinture un retardateur du commerce ou utilisez une palette « mouillée ».

Pulvérisation d'un fin brouillard d'eau pour humidifier la palette

Palette « mouillée », recouverte d'un papier spécial que l'on mouille avant d'y déposer quelques noix de peinture

Étude sur fond coloré

La technique alla prima *rend bien aussi sur un fond teinté. Sur la peinture de gauche, les tons foncés du chapeau et des chaussures ressortent sur le fond rose pâle. L'artiste a commencé par exécuter le fond, l'a laissé sécher, puis a posé sommairement les grandes plages colorées, dans un style libre et abstrait. Pour finir, il a ajouté quelques détails et souligné d'un trait vif les contours des souliers avec un mélange d'ombre brûlée et de noir d'ivoire. Remarquez comme les petites taches de couleur d'un objet se reflètent sur un objet voisin, ce qui confère à l'étude une unité harmonieuse.*

Étude sur fond sombre

Ici, le papier a été enduit d'une couche régulière et homogène d'outremer nuancé de bleu phtalocyanine. Ce fond, laissé nu dans le coin supérieur gauche, accentue la profondeur des tons jaunes et roses, frottés en couche épaisse (voir p. 48-49) sur cette assise bleue.

Franchise de la touche

Dans cette étude, réalisée d'une touche décisive, l'artiste privilégie la brosse plate pour laisser sur la toile une large empreinte, et une peinture opaque, en pâte onctueuse. Il suffit d'un peu plus d'eau pour que la couleur soit mélangée directement sur la peinture (pratique toutefois à éviter, bien qu'elle soit utilisée ici pour suggérer l'ombre beige foncé, à droite du chapeau). Cette œuvre est travaillée « dans le frais », d'un geste très vif, sans jamais laisser sécher la couleur. Comme pour les études précédentes, le peintre a posé des pavés colorés, de facture abstraite, avant d'affiner les détails, sacrifiant ainsi les règles d'harmonie géométrique au profit de la couleur expressive. Il s'en dégage une grande spontanéité.*

Aborder les personnages

Ce fond neutre aux accents tièdes s'inscrit entre le blanc et le noir, valeurs extrêmes de l'échelle des gris. Quelques touches lestes suffisent à traduire la forme et le mouvement de ces silhouettes féminines (en l'occurrence, des bouquetières). Le support en carton toilé révèle une texture intéressante. Pour bien charger cette surface rugueuse, qui accroche la matière, n'hésitez pas à travailler la couleur en épaisseur.

PEINDRE « ALLA PRIMA »

L A RÉUSSITE D'UNE ŒUVRE *alla prima* ou « directe » repose sur une certaine fougue et audace dans la touche assorties d'une perception innée du ton ou de la couleur juste. Ce sont ces qualités qui produisent l'étincelle permettant de peindre d'un seul jet, d'après nature ou document photographique, et d'achever l'œuvre en une séance. Cette peinture *alla prima* et sa profusion de marron et d'ocre soutenus, figurant une scène contemporaine d'un café de gare et de sa foule affairée, nous plongent comme par enchantement dans l'ambiance du siècle dernier. La chaleur des tons ocre est complétée par les bleu clair, à dominante froide.

Une préparation efficace
Si l'expression alla prima *est synonyme de « directe », ne négligez pas les dessins préparatoires, très précieux pour choisir les couleurs et la composition et affirmer la spontanéité de l'œuvre.*

1 ▷ Pour aviver la texture de la surface, travaillez sur une toile de coton pré-encollée.
L'acrylique, par sa grande rapidité de séchage, autorise les repentirs mais elle permet aussi de promener sa toile sans encombre (un atout pour peindre en plein air). Avec une brosse plate usée bombée n° 10, ébauchez le fond de couleur en pâte épaisse. Mélangez du blanc de titane, de l'ocre jaune et une pointe de jaune azo, ainsi qu'un orange de cadmium et une ombre brûlée pour réchauffer l'ensemble. Songez d'emblée au rendu final : le triangle légèrement plus foncé, près du centre, servira de base au plancher du café.

2 ▲ Avec la technique à la brosse sèche et un pinceau en soies n° 7, esquissez les principales formes du sujet dans des tons foncés, propres à suggérer l'ambiance chaleureuse et accueillante du café. Composez à cette fin des mélanges de bleu phtalocyanine et de noir d'ivoire, d'ombre brûlée et de noir d'ivoire ainsi que d'ombre brûlée et d'orange de cadmium. Votre pinceau doit être très sec ; utilisez le minimum de peinture et contentez-vous d'effleurer la toile. À ce stade, votre touche doit être fugace, facilement modifiable.

3 ◁ Passons au premier plan. Reprenez la brosse plate et chargez-la d'une bonne dose de blanc de titane, légèrement avivé d'un rien d'orange de cadmium et de jaune azo. Vous mélangerez vos couleurs sur la palette, mais vous monterez progressivement les tons sur la toile. Commencez à remplir les autres plages de couleur, sans vous préoccuper du détail. Certes, vous devez travailler prestement, mais ne négligez pas le nettoyage régulier et méticuleux de vos pinceaux pour éviter d'encrasser les soies.

5 Poursuivez avec les personnages, à gauche de la composition. Utilisez une peinture très sèche pour couvrir les surfaces. Dessinez les formes des chaises avec un cerne d'ombre brûlée. Une touche vive, en virgule, sur le pantalon de l'homme assis, suffit à révéler une texture et à traduire une attitude. L'efficacité de la touche est primordiale ; dans la peinture *alla prima*, vous devrez beaucoup compter sur l'« autonomie » d'un seul coup de pinceau.

6 Vous avez terminé les éléments clés de la composition ? Passez maintenant aux détails architecturaux. Posez les larges plans colorés avec un fondu de turquoise, d'ocre jaune et d'ombre brûlée, et tracez les fines lignes avec de l'ombre brûlée. Ensuite, prenez du recul pour mieux juger de l'effet : affinez les détails, faites quelques petites retouches ici et là jusqu'à ce que vous soyez satisfait du rendu.

4 La mise en couleur achevée, traitez les détails de la partie droite du tableau : la jeune fille et la table sont en effet les centres d'intérêt de la composition. Pour peindre les souliers de la jeune fille, chargez un pinceau fin de peinture épaisse et travaillez très vite, d'un geste décisif, pour suggérer plutôt que décrire la forme.

L'artiste a utilisé le plat de la touffe de poils de la brosse usée bombée pour poser les grandes plages de couleur, et la tranche pour dessiner les reliefs olive et marron de l'architecture. Étudiez les possibilités de votre pinceau en variant sa tenue ; observez sur l'œuvre achevée la variété de coups de pinceau permettant de rendre tous les aspects de la scène.

Le plancher blanc crème de la gare a été intensifié par endroits, à la dernière minute, pour « ancrer » la scène dans la réalité. Lorsque vous peignez *alla prima*, ménagez-vous quelques possibilités de retouches, indispensables pour donner plus d'unité à l'ensemble.

Quelques enseignements

On distingue trois grandes parties dans cette composition : l'intérieur du café, son architecture et le premier plan. Lorsque vous peignez alla prima *– surtout en plein air et dans un endroit fréquenté – il est fondamental d'embrasser la scène d'un seul coup d'œil. Lorsque vous aurez assimilé ce mode de travail et son matériel, cette démarche d'analyse et de synthèse rapides deviendra automatique.*

Matériel

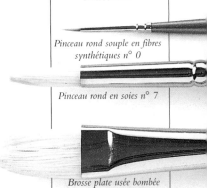

Pinceau rond souple en fibres synthétiques n° 0

Pinceau rond en soies n° 7

Brosse plate usée bombée en soies n° 10

Louise Fox

57

MARIER LES TECHNIQUES

LA GRANDE POLYVALENCE de l'acrylique devient manifeste quand plusieurs techniques très différentes conjuguent leur richesse et leur complexité au sein d'un même tableau. Cette peinture allie ici quatre procédés distincts : lavis transparents superposés de couleur opaque et épaisse, fin frottis semi-opaque et techniques de réserve. Un tableau peut subir bien des remaniements avant de satisfaire son auteur. Conçue au départ comme un sujet en plein air, l'œuvre se métamorphose peu à peu en scène d'intérieur, comme en témoignent l'éclairage de la pièce et la fenêtre ouvrant sur le lointain.

À mesure que le tableau se compose, la réalité reprend ses droits ; quelques retouches suffisent alors à replacer la scène à l'extérieur.

1 ▲ En travaillant en « humide sur humide », posez un premier lavis de Sienne naturelle et de Sienne brûlée pour les visages ; ajoutez du bleu phtalocyanine et du bleu céruléum pour rendre les subtiles nuances de la jupe. Un lavis de bleu phtalocyanine évoque le corsage. Un outremer passé à la brosse sèche révèle les textures de l'ombre obscure. Ébauchez la fenêtre avec des lavis neutres. Pour bâtir le mur du fond, brossez librement une Sienne naturelle opaque sur un pastel à l'huile orange (qui donne de la matière).

2 ▷ Dessinez les ombres sur le corsage et autour du visage avec un pourpre composé de bleu phtalocyanine. Un lavis rouge brillant soutenu réchauffe le vert foncé du tapis. Un lavis d'outremer et de bleu céruléum, sur un pastel à l'huile bistre, suggère les ombres entre les pieds de la femme. À ce niveau d'exécution, il est bon d'affiner les traits du visage avec un petit pinceau rond trempé dans une Sienne brûlée, bien allongée. La Sienne brûlée dessine les ombres légères qui dansent sur la jupe. À mesure que l'œuvre avance, cherchez à concilier les parties détaillées et imprécises du tableau ; ne traitez pas les détails en dernier.

3 ▲ Précisez les détails (le dessin et les points noués du tapis, le liseré rouge de la jupe...). Un lavis extrêmement fin et transparent de bleu céruléum modèle la chemisette du bébé. Brossez vigoureusement un blanc opaque sur le mur du fond ; ne masquez pas totalement la Sienne naturelle qui doit percer par endroits et conserver son impact sur le rendu final.

4 ◁ Un lavis de Sienne naturelle et de Sienne brûlée atténue l'éclat du mur blanc et ajoute des ombres subtiles. Des stries de rouge lumineux jettent le tapis dans l'ombre. Avec un pinceau rond n° 4, frottez une fine couche de mauve semi-opaque sur les ombres du mur pour atténuer le bleu et lui donner matière et profondeur.

REPENTIRS

Fenêtre intérieure donnant sur le paysage

La fenêtre était à l'origine (à gauche) une fenêtre intérieure ouvrant sur un paysage champêtre. L'artiste, peu convaincu du rendu, décida de la retoucher. Au fil de son inspiration, il donna peu à peu à cette fenêtre l'aspect d'un tableau accroché au mur, puis vite la retravailla dans des tons foncés pour la convertir en fenêtre vue de l'extérieur (à droite) et bouleverser ainsi le sujet. Cette nouvelle version s'harmonise mieux avec le bleu des ombres et des vêtements de la femme. Des noirs transparents, frottés sur des clairs opaques, suggèrent les pots de fleurs ombrés ornant le rebord de la fenêtre et enrichissent la scène de quelques effets d'atmosphère.

Fenêtre extérieure ouvrant sur l'intimité du foyer

5 Les contre-hachures viennent fondre les tons du visage ; utilisez un mélange de Sienne naturelle et de Sienne brûlée pour préciser les traits du bébé au pinceau fin. Ajoutez du rouge brillant foncé, du blanc de titane et des bleus à ce mélange pour travailler l'ombre sur le visage. Les ombres pourpres sur la jupe soulignent la main de l'enfant. Le motif de la jupe est suggéré par de fines lignes et touches de couleur opaque qui mettent en valeur le drapé de l'étoffe.

6 Travaillez à présent le sol ; la tasse de café et le livre ouvert, à peine suggérés, ajoutent à l'intérêt du premier plan. Un lavis vert pâle reproduit les effets du soleil sur le tapis, tandis que les pastels à l'huile de couleur blanche, orange et bistre suggèrent le dallage.

Matériel

Pastel à l'huile blanc

Pastel à l'huile orange

Pastel à l'huile bistre

Pinceau rond n° 2 en fibres synthétiques souples

Pinceau rond n° 4 en petit-gris

Pinceau n° 6 en petit-gris

La fenêtre résulte d'un ensemble de techniques riches et complexes.

Les contrastes marqués de clair-obscur et de couleurs structurent ce tableau et lui donnent une clarté formelle, ainsi qu'une sensation de calme et de douceur. Les surfaces, même très travaillées, gardent une liberté de touche et une vivacité qui préservent la fraîcheur du sujet. Cette atmosphère gaie et détendue s'accorde avec l'intimité de la scène.

Julian Bray

Quelques enseignements

La vivacité des teintes utilisées au début de la composition a peu à peu laissé place à la sérénité émouvante d'une mère et de son enfant. Le soleil jette des ombres profondes qui se découpent sur le mur en des mauves froids ou enveloppent le visage de tonalités chaudes. Le mur, plusieurs fois remanié, restitue maintenant le crépi caractéristique des murs blanchis à la chaux.

Regards sur LES TECHNIQUES

AU FIL DE CET APPRENTISSAGE de l'acrylique, votre connaissance du matériau et votre répertoire de touches vont s'enrichir et vous ouvrir de nouveaux horizons. Vous constaterez sans peine qu'il existe mille façons de relever les défis lancés par la peinture. L'acrylique est une matière d'une grande plasticité, qui peut se plier aux exigences d'une infinité de procédés. Qu'il s'agisse de William Henderson, virtuose du fondu, de Michael Andrews, passé maître dans l'art de pulvériser la couleur ou de manier les pochoirs, ou de Chuck Close dont les projections photographiques sont dotées d'une remarquable présence... tous les peintres dont les œuvres sont reproduites ici, marient ces techniques avec le plus grand bonheur.

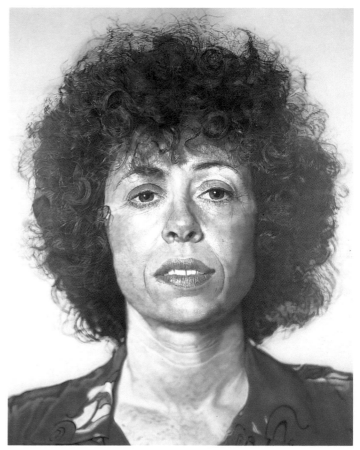

Chuck Close, *Linda,* **1975-1976,** *274 x 213 cm,* Akron Art Museum, Akron, Ohio.
Close travaille en projetant des photographies sur la toile. Si cette peinture rivalise de précision avec la photographie, sa taille monumentale offre une expérience différente. Ces lavis nous font toucher du doigt la réalité des formes. Les jeux de « gros plan » et de « plan éloigné » produisent des images audacieuses.

William Henderson, *Petits opéras (Thème n° 2),* *140 x 127 cm.*
Par sa grande maîtrise du fondu, l'artiste crée ici une marqueterie de touches qui donne l'illusion d'un fourmillement d'insectes. L'œil s'égare, s'arrête sur un détail, puis repart dans cette polyphonie de couleurs.

Ces effets insolites sont nés d'une juxtaposition de fondus. Par cette technique, des éléments dimensionnels voient le jour, tandis que les coups de pinceau aux bords effilochés laissent des formes indécises, volontairement décentrées.

Bernard Cohen, *Neuf arrêts,* 185 x 185 cm.

Une indéniable profondeur, due à la manière dont Cohen peint au pochoir, se dégage de ce tableau. C'est en répétant avec soin les masques, frottis, préparations de la toile et applications de couleurs que l'artiste crée cette œuvre éblouissante, bâtie sur de multiples couches. Vous croyez telle plage de couleur superposée à telle autre ? Elle est en réalité en dessous. Cohen frotte certaines parties du tableau pour redécouvrir la toile avant de peindre. Aux yeux de l'artiste, l'art du pochoir est partie intégrante de la tradition artisanale : les pochoirs sont découpés sur une table avant d'être assemblés et employés directement sur la toile.

Fred Pollock, *Cariatide,* 203 x 168 cm.

Cette peinture, exécutée avec fougue, illustre l'érudition de l'artiste, sa maîtrise des formes et de leur sens, sa connaissance de l'interaction des couleurs, sa science de l'équilibre des compositions.

Ce détail montre comment les couleurs du premier plan ont été pulvérisées à travers des brins d'herbe bien réels, plaqués contre la toile pour que leurs formes paraissent plus pâles que la couleur avoisinante. On obtient ces effets d'herbe brûlée par le soleil se détachant sur les jaunes chauds et les marron plus froids du sol. La pulvérisation estompe les contours des formes pour évoquer la brume de chaleur du paysage.

Michael Andrews, *La Cathédrale, faces sud/Uluru (Ayers Rock),* **1987,** 244 x 389 cm, Anthony d'Offay Gallery, Londres.

Andrews allie virtuosité technique et nostalgie poétique. Ses œuvres dégagent une sensation de calme et de sérénité, mêlée d'un certain détachement. Il ne laisse jamais le champ libre à sa peinture, mais l'enferme dans un style linéaire dont chaque forme est observée dans le détail. Ici, les pulvérisations de couleur alliées aux coups de pinceau réguliers, et le ciel bleu foncé, traduisent une sensation de chaleur torride.

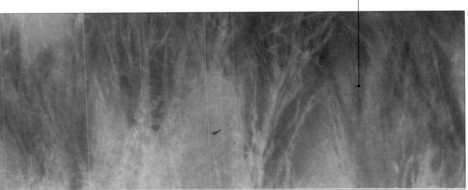

LES EFFETS À L'ACRYLIQUE

SI LA PEINTURE À L'HUILE est l'héritière d'une longue tradition culturelle pouvant intimider les peintres novices, l'acrylique est à l'inverse un matériau assez récent qui laisse le champ libre aux artistes curieux de nouveaux effets. Sa rapidité de séchage et ses possibilités de repentir sont autant de critères qui donnent confiance : une partie du tableau ne vous satisfait pas ? Libre à vous de recommencer dans la foulée. En outre, l'acrylique, même travaillée en épaisseur, conserve ses qualités de plasticité et de stabilité en séchant, sans risquer de fragiliser l'œuvre au fil du temps, comme c'est le cas de l'huile. Elle peut être encore projetée, versée, pulvérisée, raclée, extrudée, voire nouée et tissée. Autres pistes, autres effets... À l'évidence, l'acrylique n'en finit pas de nous étonner.

Quelques exemples
Ce catalogue de techniques vous donne un aperçu de la polyvalence de l'acrylique. L'illustration ci-contre est une étude de sgraffite assortie de striures, obtenues en décollant la peinture noire humide avec un chiffon mouillé.

Tamponnées
Ici, le blanc sur la forme noire de droite a été appliqué au sortir du tube. Le passage d'une éponge humide, tamponnée au hasard sur le fond blanc, imprime quelques taches grisâtres.

Superposition
Il s'agit ici d'un lavis outremer posé sur plusieurs épaisseurs de couleurs. Des formes ont ensuite été raclées pour révéler les couches inférieures marron et jaune.

Forme et matière
Ces formes ont été imprimées par pression, sur le fond jaune, de motifs en carton. Remarquez à droite la texture insolite, obtenue en ponçant au papier de verre le jaune encore frais.

Fond brut
Le gris foncé, appliqué grossièrement avec une brosse à dent, crée un fond sur lequel on imprime des motifs en carton enduit de peinture épaisse.

Sgraffite
Le sgraffite (de l'italien « égratigné ») consiste à gratter la couche très épaisse ou sèche de peinture, à l'aide d'un objet tranchant ou pointu, pour révéler le fond ou la couleur sous-jacente. Ici, l'artiste utilise l'ongle pour gratter une couche d'ombre brûlée et découvrir le papier blanc.

Engravure
Nombreux sont les procédés de grattage (voir p. 21), comme enduire la surface d'une ou plusieurs couleurs pour y « graver » des vaguelettes ou racler une acrylique fine (ou un glacis de médium gel et de couleur) sur une image déjà peinte. Ici, la raclette laisse une empreinte semblable au sgraffite.

Amalgames
Cherchez des effets originaux en mélangeant une bonne épaisseur de couleur. Une brosse plate en soies permet d'obtenir ces empâtements vigoureux. Le grand rectangle (alliance de vert de phtalocyanine et de jaune azo) encadre un mélange de jaune et de rouge de cadmium. La souplesse de l'acrylique la préserve des risques de craquelures et d'écaillage qui menacent les autres matériaux.

Motifs à l'infini

Forgez-vous un style personnel en explorant les possibilités offertes par tous les matériaux à votre disposition. Ici, laissez sécher le jaune de cadmium avant de le masquer d'un bleu phtalocyanine. Puis épongez çà et là le bleu encore humide avec un chiffon sec pour obtenir ces tachetures.

Ponçage

Les effets de texture sont ici très différents. Superposez les couleurs en les laissant bien sécher et poncez la surface au papier de verre pour découvrir les couleurs enfouies sous le noir. En appuyant plus fort, on devine par endroits les premières couches de peinture. Le papier de verre dessine des contre-hachures bien particulières.

Positif, négatif

Ce sgraffite très simple, exécuté en grattant avec l'ongle la peinture noire pour découvrir le fond blanc, est fort convaincant.

Exploitation du fond

La superposition de plusieurs couleurs semi-opaques donne ici ces formes tridimension-nelles. Le gris, qui a servi à teinter la surface, est judicieusement employé.

Thématique

Essayez d'articuler votre œuvre autour d'un thème dominant (ici, les fruits). Les empreintes digitales donnent au fond rouge une texture digne d'intérêt.

Réserve à la cire

Ici, les lavis orange et rouge se sont fondus l'un à l'autre. La peinture n'a pas « pris » sur les filets de vernis à la cire, créant un effet de ruissellement.

Décollement

Le jaune vif du cercle de gauche est directement sorti du tube. À droite, la couche de peinture noire humide a été décollée avec un chiffon mouillé pour découvrir le papier gris et suggérer la forme d'un croissant.

Enlèvement

Appliquez au rouleau un jaune de cadmium sur un papier aquarelle à grain marqué, et laissez sécher. Superposez un mélange de jaune de cadmium et de rouge de cadmium. Posez une coupure de papier journal sur la peinture humide, en exerçant une légère pression, puis retirez-la vite. La peinture se décolle par endroits, laissant place à un effet de matière sur toute la surface.

POCHOIR ET IMPRESSION

Le pochoir est souvent utilisé par les peintres travaillant à l'acrylique. Pour les créer, de simples formes découpées dans du carton conviennent bien. Ces motifs peuvent être peints et plaqués contre la surface à peindre pour y laisser leur empreinte. Conservez-les, ils vous serviront plus tard. Utilisés à maintes reprises, ils deviennent des objets qui peuvent s'intégrer à un collage.

1 *Badigeonnez une couche de cramoisi naphtol sur un morceau de papier et laissez sécher une dizaine de minutes. Plaquez votre forme contre le papier, puis passez un gros pinceau chargé de vert de Hooker.*

2 *Décollez soigneusement le motif, d'un coup. La juxtaposition des deux complémentaires, rouge et vert, sur cette forme si simple, ajoute à l'impact du rendu.*

Gabarits en carton pour les techniques de pochoir et d'impression

LIBÉRER SON GESTE

L'UN DES GRANDS PLAISIRS de la peinture à l'acrylique consiste à explorer de nouvelles pistes. Si vous avez tendance à vous enfermer dans un genre, à brider votre imagination, n'hésitez pas à libérer votre geste et diversifier vos coups de pinceau sans crainte de gâcher votre œuvre.

C'est à force de tâtonnements que vous élargirez le champ de vos compétences et votre répertoire. Cette composition débordante de vie est l'aboutissement de toute une série de recherches d'effets inédits, inspirés d'une étude d'après nature. Parmi les nombreuses méthodes mises en œuvre dans ces pages, citons la découpe et la reconstitution d'image, le pochoir, l'impression et la projection de peinture. L'image a subi bien des retouches, mais la dernière exalte une fraîcheur et une vivacité qui reflètent le plaisir de son auteur.

Peindre d'après nature
Ce croquis stylisé, d'après nature, jette les bases de la peinture abstraite obtenue en fin d'exercice.

1 ◀ Reportez les principales formes du croquis schématisé sur du carton, découpez-les, puis numérotez-les. Posez ces gabarits sur une feuille de papier glacé.

2 ▲ Remplissez les vides entre les gabarits avec un lavis d'outremer et de bleu phtalocyanine. Cette tonalité apporte une note de sérénité.

3 ▲ Retirez soigneusement les gabarits pour révéler leurs formes sur le blanc du papier.

4 ▲ Peignez l'envers du gabarit en « V » ocre jaune et de Sienne naturelle. Laissez sécher, repassez une couche, la première servant d'apprêt.

5 ▲ Sans attendre que la couleur sèche, posez l'envers du gabarit sur la surface à peindre, comme pour le remettre dans sa position d'origine.

6 ▲ Posez une feuille de papier sur la surface, appuyez en vous aidant d'un rouleau à pâtisserie, de vos mains ou, pourquoi pas, de vos pieds.

7 ▲ Retirez le gabarit d'un coup, mais avec précaution. L'impression révèle l'empreinte des coups de pinceau qui ont badigeonné l'envers du gabarit.

Matériel

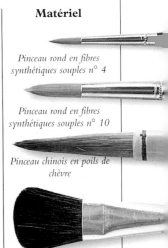

Pinceau rond en fibres synthétiques souples n° 4

Pinceau rond en fibres synthétiques souples n° 10

Pinceau chinois en poils de chèvre

Brosse plate à lavis n° 18

8 ◀ Procédez de même avec chacun des gabarits. Pour varier les effets, modulez votre pression ou repassez de la peinture sur les formes afin d'intensifier la couleur. Notons que le cramoisi naphtol (en haut et à gauche), nuancé d'une pointe de rouge de cadmium évoque le vide entre les gabarits.

9 ▷ Tracez au gros pinceau quelques croix noires en bas du tableau pour faire saillir cette partie. Ces détails apportent un intérêt supplémentaire et suggèrent une profondeur de champ qui découpe l'image en plusieurs plans.

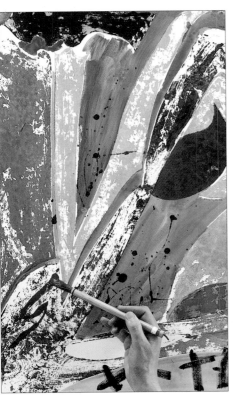

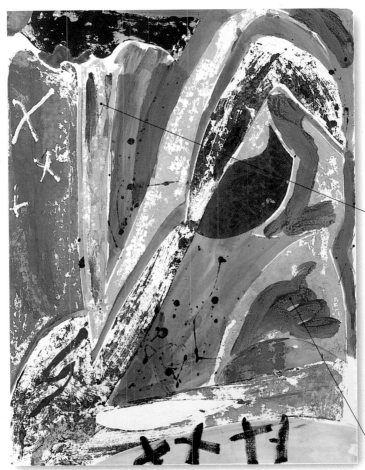

10 ◀ Replacez les gabarits sur la toile de façon à masquer l'impression. Avec les pinceaux n° 10 et n° 4, parsemez la zone bleue, au centre de la composition, de vigoureuses giclées de bleu soutenu (obtenu en fonçant le bleu du premier lavis). Cette couleur dégage une énergie brutale et vibrante qui accentue la profondeur des couches inférieures.

En ajoutant de l'ombre brûlée au sommet de la bande jaune (figurant le bras gauche de la femme), l'artiste passe cet élément au second plan et compense la tendance des couleurs vives, comme le jaune, à saillir. Coiffée de marron, la bande gauche paraît dès lors plus éloignée que sa voisine de droite. Pour finir, l'artiste réalise qu'il a ajouté trop de marron et essuie vite le surplus encore humide.

Variez le mode d'application des couleurs. Ici, le bleu est tantôt peint, tantôt imprimé ou projeté sur la toile. La sensation de mouvement et de modelé créée par le bleu peint suggère la figure humaine. La proéminence du bleu imprimé sur le bleu peint s'explique par la grande quantité de papier blanc qui transparaît sous l'impression. Les zones blanches servent d'éléments positifs à cette œuvre.

Julian Gregg

11 ▲ Faites une pause pour juger du rendu et peut-être revenir sur l'original. Ajoutez les touches qui assureront la cohésion de l'ensemble. Un ruban rouge vif, figurant la main féminine, avive le vert sous-jacent, le projette au premier plan et le fragmente légèrement, tout en équilibrant la tache rouge en haut du tableau. Usez du rouge avec parcimonie pour ne pas écraser les autres couleurs de la composition.

Série de motifs

L'œuvre achevée, l'artiste ajoute, à gauche, des étoiles de blanc de titane directement sorti du tube, pour faire écho aux croix noires. La répétition d'un même motif, à quelques détails près, suffit à créer une harmonie d'ensemble.

Regards sur DES Approches Expérimentales

L A RELATIVE JEUNESSE de l'acrylique fait de cette peinture un art de recherche et d'expérience dont se sont emparés les artistes novateurs. Citons, parmi eux, Morris Louis (voir p. 8) qui s'illustra par son procédé d'application de la couleur par immersion de la toile dans des bains de pigments. Depuis lors, les peintres n'ont cessé d'explorer la plasticité de l'acrylique afin d'aborder de nouveaux rivages picturaux, inacessibles aux techniques traditionnelles. Dans l'histoire de l'art, l'acrylique n'en est qu'à ses balbutiements. Nul doute que d'autres innovations verront le jour et évolueront à la faveur du progrès technologique.

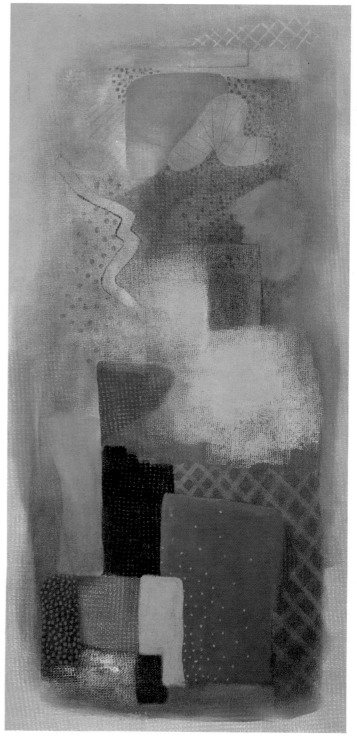

Robert Natkin, *Winchester*, 1992, *185* x *86 cm,* Gimpel Fils Gallery. *Natkin alterne peinture opaque et couleur fine pour bâtir une surface riche et délicate à la fois. Il enveloppe son pinceau dans un chiffon pour créer la double illusion d'un tissage et d'un collage, servie par une touche minutieuse. En contrôlant la pression exercée sur le pinceau, les effets se déclinent à l'infini.*

Bruce McLean, *Sans titre*, *260* x *198 cm,* Anthony d'Offay Gallery, Londres. *Ce panache de couleurs est une synthèse éblouissante de la couleur éclaboussée, coulée, projetée en fins lavis transparents ou en épaisses taches colorées. L'artiste superpose le noir au rouge, puis racle la surface pour faire jaillir une silhouette de l'eau et signer une œuvre débordante de vitalité.*

Sandra Blow, *Océan heureux,* *259 x 366 cm.*
L'œuvre de Sandra Blow s'inscrit dans une recherche ambitieuse de l'équilibre fragile entre la spontanéité et la maîtrise du geste. Elle s'articule ici autour d'une masse violette qui déferle sur la gauche, puis se cambre pour s'élancer de plus belle vers la partie supérieure droite du tableau. Cette apparente spontanéité est contrebalancée par la rigueur des petits motifs pointés sur la forme - comme les remorqueurs d'un pétrolier - pour l'entourer, la harceler et lui faire dévier sa route. Leur agencement sur la toile et leur taille suggèrent l'échelle de cette œuvre puissante.

Ray Smith, *Autoportrait,* *229 x 168 cm.*
Cette image synthétise quelques éléments clés qui ont jalonné la vie et l'œuvre de l'artiste, comme les dessins de ses enfants, un vase original de Andrew Lord et une guirlande électrique. Le visage est inspiré d'un minuscule dessin au pinceau exécuté à la lueur des chandelles, puis agrandi. La peinture est ici projetée sur la toile, raclée, pulvérisée, extrudée et, pour les chaussettes, tissée.

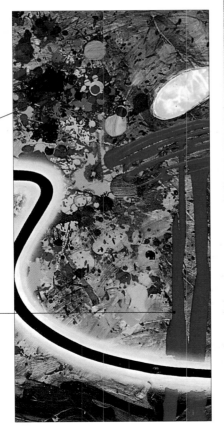

Ce bleu transparent est un mélange d'une pointe de bleu et de médium gel, raclé sur la peinture éclaboussée à l'aide d'une carte de crédit.

L'artiste a déposé un mince filet de peinture rouge avec un cornet à pâtisserie pour obtenir cette diagonale, puis a versé la couleur pour tracer la verticale. L'auréole jaune autour du ruban noir est pulvérisée sur le blanc.

PRÉSENTATION DU TABLEAU

Cadrer la composition
Avant de vous lancer, faites plusieurs essais de cadrage avec deux angles de carton.

L A PRÉSENTATION D'UN TABLEAU peut avoir une grande influence sur le rendu final. Si un cadre de qualité et choisi avec goût – ce qui fait honneur au travail du peintre – peut influencer et favoriser la lecture d'une œuvre, un cadre médiocre et mal assorti risque de détourner de la peinture le regard du spectateur.

Ne négligez pas ce chapitre de la présentation : c'est un atout capital qui saura aussi bien valoriser que déprécier votre tableau.

CERTAINS ARTISTES savent d'emblée quel cadre convient parfaitement au genre et au caractère de leur peinture. L'idéal est un cadre qui rappelle discrètement quelques-unes des couleurs du tableau. Les plus prudents se contenteront toutefois de confier leur œuvre à un encadreur.

Déterminer le cadrage

Le choix d'un cadrage approprié au sujet est primordial, surtout si vous travaillez sur du papier, plutôt que sur une toile ou un carton de format fixe.

Recadrages
En changeant le cadrage, l'on peut varier un même sujet à l'infini. Cette œuvre a été légèrement émargée pour resserrer le cadrage sur les personnages et la fenêtre. La femme et l'enfant sont toujours le centre d'intérêt de la composition, mais les bords tronqués de l'image, ouverts sur l'inconnu, aiguisent la curiosité du spectateur et l'invitent à s'interroger sur le monde extérieur.

VERNISSAGE

Beaucoup d'artistes recouvrent leur peinture d'une couche de vernis uniforme pour la protéger. Utilisez un spalter à sortie longue qui assurera la finesse du vernissage. La plupart des vernis destinés aux œuvres à l'acrylique renferment des résines acryliques, mais la pellicule qu'ils laissent en séchant est légèrement plus dure que la peinture acrylique.

Le vernissage des œuvres à l'acrylique est assez controversé. Avec certains vernis, il se forme en effet un petit « espace de solubilité » entre la peinture et le vernis. En d'autres termes, si vous voulez retirer le vernis à l'aide de solvants – au cas où, par exemple, le vernis se serait encrassé avec le temps – vous risquez de décoller la peinture sous-jacente. Pour y remédier, les vernis modernes contiennent des agents durcisseurs (qui diminuent par ailleurs les risques d'encrassement), sans compromettre pour autant le décapage du vernis. Seul le temps pourra confirmer ou infirmer les qualités de ces produits.

Spalter à vernir en fibres synthétiques n° 50

Équilibre et symétrie
Le cadrage se resserre ici pour assurer l'équilibre des masses entre la fenêtre à peine évoquée, en haut et à droite du tableau, et la femme et l'enfant, relégués dans le coin inférieur gauche. Cette symétrie donne à la peinture une certaine assise.

Mère et enfant
Ce cadrage très serré attire l'attention du spectateur sur le thème de la maternité. Notre perception et notre compréhension du sujet sont modifiées : le regard direct de l'enfant blotti dans le giron maternel jaillit de l'ombre pour occuper le devant de la scène.

Changer de cadrage et de format

Un recadrage judicieux permet de changer une composition du tout au tout avant de l'encadrer. Vous pouvez, par exemple, isoler ou éliminer un détail peu satisfaisant, ou privilégier une partie très réussie de votre tableau.

On peut aussi choisir de passer du format en largeur dit « paysage » au format en hauteur ou « figure ». Multipliez les essais avec deux angles en carton.

Œuvres sur papier

L'encadrement d'une œuvre exécutée sur papier se résume d'ordinaire à une plaque de verre, un passe-partout et un carton de fond en Isorel dur.

Le passe-partout crème met naturellement en valeur cette peinture car il reprend la couleur du rehaut le plus lumineux de tout l'ensemble (la coupole ensoleillée). Il creuse aussi la profondeur des tons sombres de l'image.

Le cadre foncé, d'une sobriété toute classique, s'accorde au sujet et au style assez traditionnels de la peinture.

Cadre foncé et passe-partout clair

La présentation de cette étude architecturale est très réussie car elle se confond avec la peinture elle-même. Le cadre foncé donne de la tenue à l'ensemble tandis que le passe-partout crème a pour effet de mettre en valeur le sujet.

Cadre clair et passe-partout foncé

Le contraste entre le pin clair du cadre et le marron du passe-partout est moins heureux car trop accusé. Les jeux de clair-obscur perdent de leur intensité et l'œuvre tout entière semble se dérober aux regards.

Quelques conseils

Si vous encadrez une œuvre exécutée sur du papier, assurez-vous que le passe-partout est en carton de type « sans acide ». Vous constaterez sans peine que les tons neutres (ivoire, crème ou gris pâle), les plus appréciés, valorisent les couleurs de votre peinture. Si vous encadrez une toile, protégez-la de la poussière et des altérations dues aux variations atmosphériques par une plaque de finition fixée au dos.

Cadre jaune...

Pour réussir un encadrement, il faut regarder le style du tableau. Ce genre de peinture s'accommode bien d'un cadre moderne, de couleur vive. On peut reprocher à celui-ci une certaine fadeur qui rivalise avec la corde peinte.

... blanc...

Ce cadre en bois peint (comme les deux autres) accuse trop les tons foncés et étouffe les autres couleurs. Le blanc du cadre donne l'impression d'être sale et jure avec le blanc intense de l'œuvre.

... ou gris jaspé

Le gris dominant du cadre révèle quelques accents de couleur qui ne sont pas sans rappeler les teintes du tableau. Ce cadre tout en demi-teintes convient bien au sujet et offre un juste équilibre entre les clairs et les obscurs.

UN PEU DE VOCABULAIRE

ACRYLIQUE Résine synthétique utilisée en émulsion comme liant dans les peintures acryliques extra-fines.

APLAT Zone de couleur mate, ne présentant aucune différence de ton ni de teinte.

CHÂSSIS Cadre de bois sur lequel on tend la toile. Pour fixer celle-ci, respectez toujours l'ordre suivant : posez tout d'abord une agrafe au centre de chaque listel (haut - bas - droite - gauche), puis partez de l'angle supérieur gauche en progressant vers la droite, de l'angle inférieur droit vers la gauche, de l'angle supérieur droit vers le bas et enfin de l'angle inférieur gauche vers le haut.

COULEUR ÉTEINTE Teinte sourde, très faiblement saturée tirant sur le brun-gris.

COULEUR VIVE Couleur brillante et saturée. Les couleurs vives sont généralement posées sur fond blanc ou crème.

COULEURS ANALOGUES Couleurs qui se jouxtent sur le cercle chromatique.

COULEURS COMPLÉMENTAIRES Ce sont les couleurs fortement contrastées, se complétant deux à deux et diamétralement opposées sur le cercle chromatique. La complémentaire d'une primaire correspond au mélange des deux autres primaires.

COULEURS PRIMAIRES Ce sont le rouge (magenta), le bleu (cyan) et le jaune, couleurs qui, en peinture, ne peuvent être obtenues par aucun mélange et dont le mélange permet d'obtenir toutes les autres couleurs.

COULEURS PROCHES Couleurs placées côte à côte sur un tableau.

DÉCOLLER LA COULEUR Technique consistant à absorber la peinture à l'aide d'une éponge ou d'un papier essuie-tout pour atténuer ou éliminer une couleur. Cette méthode permet de reprendre une touche intempestive ou de créer des effets spéciaux.

DEMI-TONS Valeurs intermédiaires entre les clairs et les obscurs.

EMPÂTEMENT Application d'une couche épaisse de peinture, appliquée le plus souvent au couteau à peindre ou à la brosse dure. L'empâtement, qui laisse apparaître des rugosités, crée une surface très texturée et donne une impression de spontanéité.

ÉMULSION En peinture acrylique, suspension stable de résines acryliques dans l'eau.

ENLEVER LA COULEUR Technique permettant de modifier une couleur et de créer des rehauts en absorbant au pinceau ou à l'éponge la couleur posée sur le papier.

FLEUR DU PINCEAU Extrémité du faisceau de poils d'un pinceau.

FOND Surface d'isolation du support sur laquelle est appliquée la couleur. Pour les tableaux à dominante sombre ou sourde, on emploie en couche de fond une préparation colorée qui unifie la couleur et fournit les demi-tons. Une impression translucide recouvrant une préparation blanche ou une préparation colorée joue le même rôle.

FOND COLORÉ Couche de couleur opaque et uniforme appliquée sur la préparation avant l'application des couches picturales. Une simple préparation colorée peut remplacer cette couche de fond.

FONDU Passage progressif d'une couleur à une autre, ou dégradé des valeurs.

FROTTIS Couche légère de peinture opaque ou translucide posée avec un pinceau peu chargé sur une autre couche, de façon à laisser transparaître la couleur sous-jacente.

FUSAIN Crayon de charbon friable obtenu par carbonisation sous vide de branches sèches de saules ou d'autres arbrisseaux. Le fusain est l'un des plus anciens outils à dessin.

GLACIS Pellicule de peinture transparente recouvrant le tableau ou une partie du tableau, afin de modifier le rendu des couleurs.

GOMME LIQUIDE Solution à base de latex, de teinte blanche ou jaune pâle, qui sert à protéger ou réserver certaines formes dans une composition.

HACHURAGE Dégradé de valeurs réalisé par des ombrages exécutés à grands traits fins. Cette technique est très utilisée pour construire la sous-couche.

HUMIDE SUR HUMIDE Technique consistant à appliquer une peinture humide sur une peinture encore fraîche.

LAVIS Fine pellicule de peinture transparente.

LIANT Véhicule utilisé lors du broyage des couleurs pour homogénéiser les particules de pigment et assurer l'adhérence de la matière picturale au support. Les liants des peintures acryliques sont des émulsions polymères acryliques.

MASQUES Technique consistant à appliquer de la gomme liquide ou d'autres caches pour protéger certaines parties du papier lors de l'application de lavis. La gomme doit sécher avant d'être recouverte de peinture. En fin de travail, on frotte délicatement cette fine pellicule pour retrouver la surface originale.

Peinture alla prima

Médium d'empâtement

Médium gel

Technique « humide sur humide »

Glacis

MÉDIUM Les différents médiums acryliques permettent de modifier la consistance et l'aspect des peintures acryliques. Pour les glacis, on emploie du médium de transparence, du médium opacifiant ou du médium gel, alors que pour les empâtements, on choisit du médium d'empâtement ou de structure.

MÉDIUM RETARDATEUR Ajouté aux peintures acryliques, ce médium en retarde la prise. Ne pas en abuser, car il risque de fragiliser la couche picturale.

MÉLANGE OPTIQUE Couleur obtenue par effet d'optique en superposant ou contrastant différentes couleurs, et non par mélange physique sur une palette. On parle aussi de « fondu optique ».

MÉLANGE PHYSIQUE Mélange préalable de plusieurs couleurs sur la palette avant application sur le support. Les techniques d'« humide sur humide » et de superposition sur fond sec constituent un mélange physique sur le support.

MISE EN COULEUR Première étape de peinture après l'esquisse préparatoire, consistant à poser de grandes plages de couleur uniforme. On parle également de remplissage.

PAPIER À GRAIN FIN Papier calandré à chaud présentant une surface très lisse.

PAPIER À GRAIN MOYEN Papier calandré à froid présentant en surface un grain intermédiaire, entre le grain fin et le grain torchon.

PAPIER SANS ACIDE Papier à pH neutre qui ne jaunit pas avec le temps.

PEINTURE OPAQUE Technique privilégiant les matières picturales opaques et les modes d'application qui leur correspondent.

PEINTURE TRANSPARENTE Technique exploitant la transparence des couches picturales.

PERSPECTIVE Méthode de représentation d'un objet en trois dimensions sur une surface à deux dimensions.

PERSPECTIVE AÉRIENNE Sous l'effet des conditions atmosphériques, notre œil perçoit différemment la couleur et les valeurs des objets éloignés. À l'horizon, les objets semblent plus clairs et tirent sur le bleu.

PHTALOCYANINE Pigments organiques modernes produisant un bleu ou un vert transparent (phtalocyanine de cuivre chlorée). Ces pigments présentent un fort pouvoir colorant et sont très solides à la lumière.

PIGMENT Fines particules solides de couleur, qui forment le composant de base de toutes les peintures.

POINTILLAGE Technique consistant à parsemer le support de points de couleur en travaillant avec la fleur du pinceau.

POLYMÈRE Molécule géante obtenue par la liaison de petites molécules fondamentales appelées monomères. Les polymères de résines acryliques constituent le liant des peintures acryliques.

PRÉPARATION Apprêt ou enduit appliqué sur le support avant la mise en œuvre des couleurs. Cette couche préparatoire protège le support, définit sa texture et sa porosité, offre une surface d'ancrage à la matière picturale.

REHAUT Touche claire destinée à accuser la lumière sur un dessin ou une peinture.

RÉSERVE Technique consistant à protéger le support ou une sous-couche d'une nouvelle application, en interposant une pellicule protectrice de gomme liquide, par exemple. On emploie cette technique pour poser les rehauts ou préserver une couleur donnée.

RUBAN À MASQUER Ruban de papier gommé destiné à protéger une partie du tableau en cours d'exécution.

SATURATION Intensité d'une couleur. Les couleurs saturées sont intenses et vives. En revanche, une couleur désaturée est terne et tire sur le gris.

SGRAFFITE Technique consistant à gratter la peinture sèche sur la surface du support, au scalpel, ou au couteau. Ce « grattage » révèle la couleur sous-jacente ou, le cas échéant, la couleur du support.

SOLIDITÉ À LA LUMIÈRE Permanence ou fixité d'une couleur.

SOUS-COUCHE Couche préparatoire sur laquelle les autres couleurs sont appliquées.

SUPERPOSITION SUR FOND SEC Technique consistant à appliquer une peinture humide sur un fond déjà sec.

SUPPORT Matériau sur lequel le tableau est exécuté. Si l'on peut peindre sur presque toutes les surfaces, les artistes préfèrent travailler sur papier, toile ou panneau de bois.

TECHNIQUE À LA BROSSE SÈCHE Méthode consistant à étaler ou a frotter à la brosse sèche une peinture sèche ou solide, afin de disperser la couleur.

TECHNIQUE DIRECTE OU *ALLA PRIMA* Ce terme italien, signifiant littéralement « de premier jet », désigne la méthode consistant à poser la couleur dans le frais, en une seule séance (par opposition aux techniques de superposition). Les artistes exploitent cette technique pour rendre une sensation de spontanéité.

TEINTE Couleur du spectre : rouge, jaune, vert, etc.

VALEUR Degré de clarté ou d'obscurité d'une couleur sous l'effet de la lumière.

VIROLE Pièce métallique du pinceau enserrant les poils.

Pigment

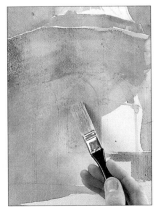

Étaler un lavis

Techniques de réserve

REMARQUE SUR LA TOXICITÉ

• En pulvérisant des couleurs acryliques à l'aérographe ou au pistolet, portez toujours des lunettes de protection et un masque respiratoire afin d'éviter d'inhaler l'acrylique ou les pigments.

• En règle générale, les pigments intervenant dans la composition des couleurs acryliques ne sont pas aussi toxiques que ceux des peintures à l'huile, mis à part le rouge et le jaune de cadmium qui imposent quelques précautions d'emploi.

INDEX

REMERCIEMENTS

Ray Smith tient à remercier Alun Foster, de chez Winsor & Newton pour ses conseils éclairés, ainsi que Jane Gifford pour ses belles illustrations. Il remercie également tous les artistes qui ont accepté que leurs œuvres viennent enrichir ce livre et la Royal Academy pour son aide précieuse. Il tient en outre à exprimer toute sa reconnaissance aux intervenants de Dorling Kindersley et en particulier à Ann Kay et Lynne Nazareth pour leur participation active à l'élaboration du texte, à Brian Rust qui a réalisé la maquette avec goût et discernement, à Stefan Morris et Dawn Terrey qui ont contribué à la mise en page. Il remercie aussi Margareth Chang pour sa participation à la recherche iconographique.

Crédits photographiques

Nous nous sommes efforcés de retrouver tous les détenteurs des droits d'auteur et tenons à présenter par avance nos excuses pour toute omission involontaire. Nous serions bien entendu disposés à faire figurer les remerciements qui s'imposent dans toute édition ultérieure de cet ouvrage.

Légende : h = haut, b = bas, c = centre, g = gauche, d = droite
RAAL = Royal Academy of Arts Library ;
VAL = Visual Arts Library, Londres, tous droits réservés.
Gardes : Jane Gifford ; p. 2 : Julian Bray ; p. 3 : Julian Bray ; p. 4 : Jane Gifford ; p. 5 : hd Ray Smith ; bd Louise Fox ; cg Ian McCaughrean ; p. 6 : hg Jane Gifford ; cd Jane Gifford ; bg Gabriella Baldwin-Purry ; p. 7 : hg Jane Gifford ; cd Jane Gifford ; bg Julian Gregg ; p. 8 : hd Morris Louis, The Phillips Collection, Washington DC, Marcella Louis Brenner ; bd David Hockney, The Tate Gallery, Londres, © David Hockney, 1956 ; p. 9 : hg Andy Warhol, Museum Ludwig, Cologne, © 1993 The Andy Warhol Foundation for the Visual Arts, Inc. ; hd Bridget Riley, avec l'aimable autorisation de Karsten Schubert Ltd, Londres ; b Paula Rego, The Tate Gallery, Londres, © Paula Rego ; p. 12 : cg Jane Gifford ; bd Ray Smith ; p. 13 : Jane Gifford, sauf c Ray Smith ; p. 14 : Julian Bray ; p. 15 hd et hg Sue Sharples ; bg et bd Julian Bray ; pp. 16-17 : c John Hoyland ARA, RAAL ; p. 16 : bg Gregory Gordon ; p. 17 : d et b Leonard Rosoman RA, RAAL ; p. 23 : c Ian McCaughrean ; b Julian Bray ; p. 26-27 : c Louise Fox ; p. 26 : b Jacobo Borges, Collection privée, Caracas, avec l'aimable autorisation de CDS Gallery, NY. / VAL ; p. 27 hd Albina Kosiec Felski, National Museum of American Art, Smithsonian Institute/Bridgeman Art Library ; cg Ronald Davis, Collection privée/VAL ; bd Jane Gifford ; p. 28 : hg Jane Gifford ; bd Julian Bray ; p. 29 : hd et c Jane Gifford ; b Ray Smith ; p. 30 : c et b Jane Gifford ; p. 31 : Jane Gifford ; p. 32-33 : Jane Gifford ; p. 34 : Jane Gifford ; p. 35 : h et c Ray Smith ; b Jane Gifford ; p. 36 : hd Jo Kelly ; cg Gillean Whitaker, RAAL ; p. 36-37 : b Patrick Caulfield, The Saatchi Collection, Londres, © Waddington Galleries Ltd., Londres ; p. 37 : hg Mike Gorman, Collection privée/VAL ; hg Jennifer Durrant, RAAL ; p. 38 : hg Jane Gifford ; c et b Ian Mc Caughrean ; p. 39 : Jane Gifford ; p. 40-41 : Derek Worrall ; p. 42-43 : Julian Bray ; p. 44-45 : Julian Bray ; p. 46 : hd Christopher Lenthall ; bg Gabriella Baldwin-Purry ; bd Jane Gifford ; p. 47 : hg Albert Irvin ; hd David Evans ; bd John McLean, Art For Sale/Francis Graham Dixon Gallery ; p. 48 : Ian McCaughrean ; p. 49 : hd Ian McCaughrean ; c et b Jane Gifford ; p. 50-51 : Jane Gifford ; p. 52 : hg et hd Sue Sharples ; c et b Jane Gifford ; p. 53 : Ian McCaughrean ; p. 54-55 : Louise Fox ; p. 56-57 : Julian Bray ; p. 60 : hd Chuck Close, Akron Art Museum, Akron, Ohio/ Avec l'aimable autorisation de Pace Gallery/VAL ; b William Henderson, RAAL ; p. 61 : hg Bernard Cohen, RAAL ; hd Fred Pollock, RAAL ; c et b Michael Andrews, Anthony d'Offay Gallery, Londres ; p. 62-63 : Julian Gregg ; p. 62 : cg Julian Gregg ; cd Ian McCaughrean ; bg Ray Smith ; p. 63 : hg et c Ian McCaughrean ; hd et b Julian Gregg ; p. 64-65 : Julian Gregg ; p. 66 : d Robert Natkin, Gimpel Fils Gallery ; bg Bruce McLean, Anthony d'Offay Gallery/VAL ; p. 67 : h Sandra Blow, RA ; b Ray Smith ; p. 68 : Julian Bray ; p. 69 : h Julian Bray ; b Jane Gifford ; p. 70 : g Louise Fox ; d Jane Gifford p. 71 : c Julian Bray.

Dorling Kindersley tient à remercier Paintworks, Cornellison & Son Ltd et Winsor & Newton qui ont aimablement fourni le matériel artistique utilisé dans cet ouvrage.

Autres photographies :
The Dorling Kindersley Studio et Karl Adamson.

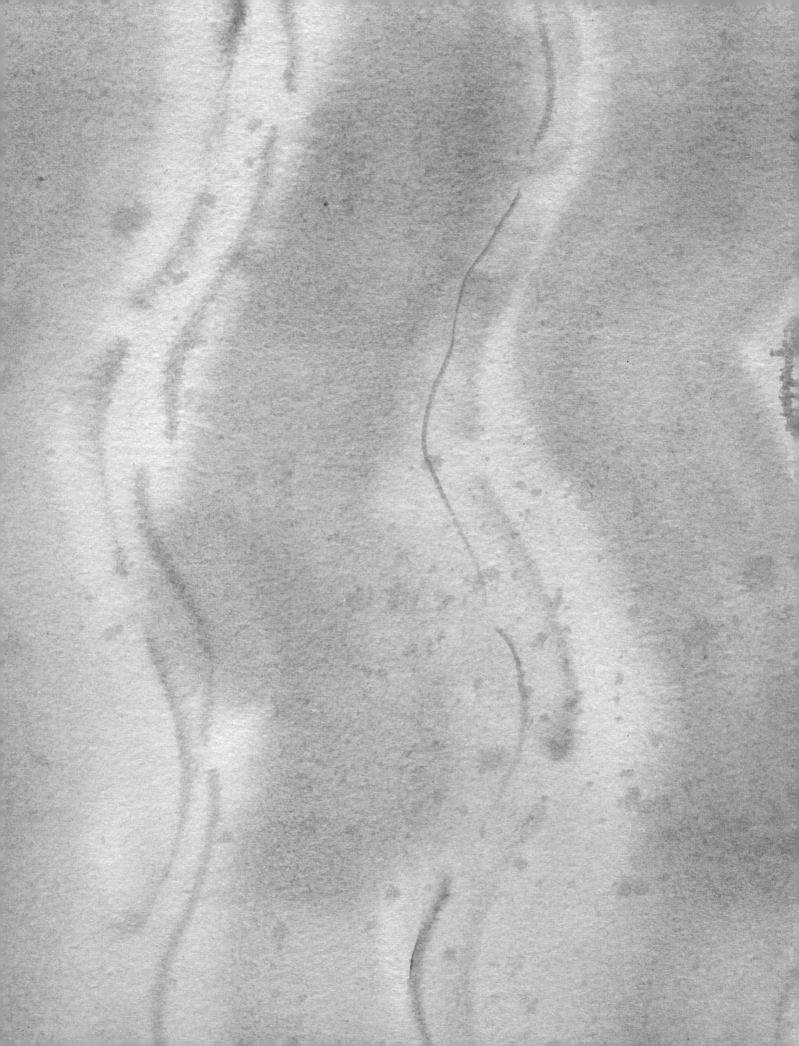